Måns Gahrton

Eva & Adam

School, vrienden en verliefdheid

Måns Gahrton

EVA & ADAM

School, vrienden en verliefdheid

De Vier Windstreken

Nederlandse tekst van Corry van Bree
© 2007 De Vier Windstreken, Rijswijk
Tekst van Måns Gahrton, 1995
Omslag van JeRoen Murré
Oorspronkelijke titel: Eva & Adam - Schule, Scherereien und die erste Liebe
Oorspronkelijke uitgever: BonnierCarlsen Bokförlag AB, Stockholm
Alle rechten voorbehouden. Printed in The Netherlands
NUR 282, 283 / ISBN 978 90 5579 770 7

Bezoek ons ook op internet: www.vierwindstreken.com

Inhoud

Kriebels in je buik en een giraf

Toen Adam klein was, wilde hij meestal dat zijn moeder meeging. Niet altijd en niet overal naartoe, maar als er iets speciaals was, bijvoorbeeld als hij iets voor de allereerste keer deed. Zoals de eerste voetbaltraining, toen hij zijn moeders hand de hele weg stevig vasthield totdat het voetbalveld in zicht was. Daar liet hij haar hand los en wilde hij het liefst dat zijn moeder zich omdraaide en naar huis ging, voordat iemand haar zag.

'Weet je zeker dat ik niet mee hoef?'

Adams moeder kijkt naar hem met die speciale blik in haar ogen, een teken dat ze zich zorgen over hem maakt. Haar ogen zijn vol moederlijke bezorgdheid. Adam vindt het de meest irritante blik in de hele wereld.

'NEE, heb ik toch gezegd! Denk je dat ik een BABY ben?'

Nee, Adam is geen baby meer, maar hij heeft kriebels in zijn buik, net als toen hij veel kleiner was. Hij wil dat zijn buik onmiddellijk stopt met dat achterlijke gedoe, maar zijn buik denkt daar anders over. Die doet wat hij zelf wil, en dat is kriebelen.

Hij loopt naar school, met zijn rugzak op zijn rug en het gekriebel in zijn buik. En tien minuten later, zonder een moeder om zijn hand vast te houden, klimt hij een nieuwe en vreemde trap op. Hij hoort de echo van zijn voetstappen, hij twijfelt een paar lange seconden en dan stapt hij de klas binnen.

'Kijk eens aan,' zegt een schelle vrouwenstem. 'Dat is vast onze nieuwe leerling, Adam... Kies... eh... Kies...'

'KIESPIJN, juf!' schreeuwt een jongen die er stoer uitziet. Iedereen lacht. Of in elk geval bijna iedereen.

'Waarom doe je altijd zo ontzettend KINDERACHTIG, Jonas?' sist een meisje met een blonde paardenstaart.

'Kieslowski,' zegt Adam.

'Wat?' vraagt de juf, die zijn nieuwe klassenlerares moet voorstellen. Ze kijkt verwilderd op het papier dat ze in haar handen houdt. 'Is dat wat hier staat?'

'Dat weet ik niet,' zegt Adam. 'Maar zo heet ik!'

Alles is nieuw. Het is de eerste dag in een nieuwe klas, op een nieuwe school, in een

nieuwe stad. En als hij op zijn nieuwe plaats in het nieuwe lokaal gaat zitten, ziet hij dat al zijn nieuwe klasgenoten naar hem staren.

Ze fluisteren en smoezen en hij vangt het woord 'buitenlander' op. Ze weten niet dat Adam in Zweden is geboren en dat zijn vader uit een ander land komt, uit Polen. Maar er is zoveel dat ze niet weten.

'Eva, weet jij het antwoord?' De juf kijkt het meisje met de blonde paardenstaart strak aan.

'Wat?' vraagt Eva. 'Nee, eigenlijk niet.'

Ze heeft niet gehoord dat de juf vroeg wanneer de Vikingtijd in het Noorden begon en Adam weet waarom.

Net als de rest van de klas was ze over hem aan het fluisteren – het is duidelijk dat ze allemaal over de nieuwe jongen
in de klas praten – en nu krijgt hij een snel lachje van zowel
Eva als het meisje aan het tafeltje naast haar.

'Ik heet Alexander,' fluistert de jongen aan het tafeltje naast
Adam. 'Trek je niks aan van de Giraf, die is niet goed bij haar
hoofd!'

'Wat? Wie…?'

'De juf. Greta Graffman. Doe je in de pauze mee met voet-
ballen?'

Adam kijkt naar Alexander, lacht even en knikt. Dan kijkt
hij naar zijn buik en merkt dat het gekriebel is gestopt.
Plotseling voelt hij zich best goed.

9

Zonder ouders en met natte broers

Eva's moeder kijkt een beetje bezorgd.

'Beloof me dat jullie geen ruzie met elkaar maken. En let goed op Max. En vergeet niet om het ijs in de vriezer te zetten als jullie klaar zijn met eten. We zijn niet zo laat thuis en jullie hebben het telefoonnummer...'

Eva zucht. Haar vader en moeder gaan heel gewoon een avondje op visite bij de buren, vijfentwintig meter verderop, en toch komt haar moeder met al die vermoeiende regels. Eva is geen kind meer en Tobias zou ook redelijk volwassen moeten zijn, omdat hij al op de middelbare school zit. Alleen jammer dat het niet aan hem te merken is...

'Ik vergeet het helemaal te vragen,' zegt mama. 'Hoe was het op school?'

'Hartstikke leuk,' zegt Max, die net in groep zes zit.

'Saai, zoals altijd,' zegt Tobias, terwijl hij tegelijkertijd een vieze boer laat.

'We hebben vandaag een nieuwe jongen in de klas gekregen,' zegt Eva.

'Wat leuk,' zegt mama. Eva en Max accepteren met tegenzin een kus op hun wang en dan gaan ze op weg. Haar moeder gehaast en haar vader met trage, slepende stappen.

Tobias zet de muziek natuurlijk onmiddellijk keihard en de

boxen braken de schreeuwerige hardrock van Metallica uit, muziek waaraan Eva een hekel heeft.

'Geee Oooo!' brult hij. 'Geen ouders!'

'Zet dat zachter,' schreeuwt Eva. 'Ik probeer TELEVISIE te kijken!'

'Ga daar vooral mee door,' zegt Tobias in haar oor. 'Laat je door ons niet storen.'

En dan zet hij de volumeknop nog harder en grijnst. Max grijnst natuurlijk ook, hij probeert mee te doen met zijn grote broer. En dan te bedenken dat ze hem altijd zo lief vond, dat mormel!

Eva staat op van de bank. Ze heeft het gevoel alsof ze elk moment in een miljoen stukjes uit elkaar kan spatten. Ze wordt ineens zo verschrikkelijk boos, zo boos als alleen haar stomvervelende broer haar kan krijgen. Ze loopt naar de keuken, pakt een emmer uit de bezemkast en vult die met koud water. Dan loopt ze terug naar de zitkamer.

'Tobias, je hebt het vast erg warm van die muziek, hè? Je moet vast een beetje afkoelen!'

En terwijl ze dat zegt, giet ze de helft van het water over hem heen, terwijl ze zich tegelijkertijd afvraagt hoe het komt dat ze zoiets geweldigs durft te doen.

Tobias staart haar aan. Het water druipt uit zijn haar.

'Je bent niet goed bij je hoofd! Ze moeten je opsluiten!'

'Je hebt erom gevraagd,' zegt Eva.

'Weet je waardoor het komt?' zegt Tobias. 'Dat ziekelijk driftige humeur van je?'

Eva geeft geen antwoord.

'Ik heb erover gelezen. Dat komt doordat je het MIDDEL-

11

STE kind bent! Het middelste kind voelt zich vaak verwaar-
loosd. En dan wordt het vervelend en driftig en stapelgek!'
Tobias lacht hooghartig en woelt Max door zijn haren.
'Daarom zijn Max en ik zo NORMAAL, terwijl jij…'
'… water over mensen heen giet,' zegt Eva en gooit kalm
nog een paar liter over Tobias heen.
Max grijnst. De druipende, verbaasde Tobias ziet er echt
grappig uit.
'Wat sta je daar te lachen, kleine rat?' schreeuwt Tobias. Hij
rukt de emmer uit Eva's hand en gooit het water dat over is
over Max heen. Max begint natuurlijk onmiddellijk te huilen. Eva vraagt zich af of ze hem moet troosten. De telefoon
gaat en Eva neemt op.
'Stel je voor,' zegt Annika in de hoorn. 'Ik hoorde net mijn
vader en moeder in de slaapkamer met elkaar praten. Ze
vinden het zielig voor me dat ik geen broertje of zusje heb!'
Annika heeft altijd een broertje of een zusje gewild, en het
liefst meer dan een. In plaats daarvan krijgt ze het ene dure
cadeautje na het andere, dingen waarvan Eva alleen maar
kan dromen.
'Stel je voor dat ze eindelijk besluiten dat ik een broertje of
een zusje krijg!'
Eva kijkt naar de schreeuwende Max, die Tobias met zijn
vuisten bewerkt, naar het water dat zich over de vloer van
de zitkamer verspreidt en naar Tobias, die tegen Max
schreeuwt dat het zijn eigen schuld is.
'Broertjes en zusjes?' zegt Eva. 'Ik heb een voorstel. Zeg
maar tegen je ouders dat ze er onmiddellijk twee van mij
mogen hebben.'

Altijd die meisjesbacillen

Toen Adam klein was, was hij bang voor meisjesbacillen. Zijn vrienden waren er ook bang voor, maar niemand was zo bang als Adam. Stom genoeg was er een meisje dat ervoor zorgde dat zijn hart begon te bonken zodra hij haar zag.
Nu is hij niet bang meer. Of nog maar heel soms. En hij is een beetje verlegen.
'Welk meisje uit de klas vind jij het knapst?' vraagt Alexander.
Adam aarzelt. 'Dat weet ik eigenlijk niet.'
'Linda natuurlijk,' zegt Alexander. 'Die is hartstikke knap, dat vindt iedereen!'
Alexander is niet verlegen als het om meisjes gaat. Hij praat uitgebreid over iedereen met wie hij verkering heeft gehad, en dat is alleen het afgelopen jaar al drie keer geweest, dat weet Adam. Maar op dit moment heeft hij geen verkering en Adam ook niet. Adam heeft nog nooit verkering gehad.
Adam vindt het leuk om naar Alexanders gepraat over meisjes te luisteren. Het is spannend om te horen met wie hij verkering heeft gehad en met wie hij verkering wil. Zelf praat Adam liever over voetbal of muziek, hij wil helemaal niet zeggen wat hij van de meisjes in zijn klas vindt. Het is bijna zo erg dat hij probeert om er helemaal niet aan te den-

ken, zodat hij er ook geen mening over hoeft te hebben. Hij lijkt wel alsof hij nog steeds bang is voor meisjesbacillen!

Hij zit nog maar twee weken op de nieuwe school en heeft nu al een echte kameraad! Hij kan goed overweg met Alexander, en Alexander is een van de populairste jongens van de klas. Er zijn vast en zeker veel jongens die met hem willen omgaan, maar toch kiest hij voor Adam. Misschien komt het doordat ze van dezelfde dingen houden, vooral van voetbal en skateboarden. Alexander doet hartstikke wild op zijn skateboard, het is een wonder dat hij nog geen dood-smak heeft gemaakt.

'Wat denk je van die twee, Adam?' vraagt Alexander. 'Die zijn nog vrij!' Hij wijst naar Eva en Annika, die samen van school naar huis lopen.

'Bij Eva had ik een keer een kans, maar toen wilde ze ineens niet meer. En Annika is verliefd op mij, in elk geval een beetje, dat weet ik zeker. Maar ik weet niet...'

'Ze zijn best oké,' krijgt Adam er met moeite uit.

'Nou wil ik het weten! Wie vind je het meest oké? Annika?' Alexander kijkt Adam onderzoekend aan.

'Nee, het is Eva,' zegt Alexander. 'Moet ik een afspraakje met Eva voor je regelen?'

Adam voelt het bloed naar zijn gezicht stijgen.

'Zeur niet! Tot morgen!'

Hij zwaait naar Alexander en gaat ervandoor, voordat zijn gezicht zo rood is als een biet. Dat gebeurt heel vaak en dan wil Adam zich het liefst van de aardbol toveren of onzicht-baar zijn. Als Adam verlegen is, wordt hij roder dan de rood-ste tomaat. Niemand, behalve misschien de indianen in

Amerika, worden zo rood als hij. Het is echt heel oneerlijk dat juist hij dat moet hebben. Waarom bijvoorbeeld Jonas niet, in plaats van hij.

Eva en Annika lopen voor hem. Ze giechelen. Hij vraagt zich af waarom. Ze zijn hartsvriendinnen zoals alleen meisjes dat kunnen zijn, dat is van honderd meter afstand te zien. Zijn Alexander en Adam elkaars beste vrienden? Ja, Adam heeft geen vriend die hij zo graag mag als Alexander, en Adam denkt dat Alexander het liefst met hem optrekt. Maar dat is toch niet hetzelfde. Meisjes bespreken alles met hun hartsvriendin, vooral dingen die supergeheim zijn. Dat doet Adam niet met Alexander, en trouwens ook niet met iemand anders.

Nu gaan Eva en Annika ieder een andere kant op. Adam bedenkt plotseling dat hij iets tegen ze wil zeggen nu ze nog met zijn tweeën zijn. Hij gaat gewoon naar ze toe en probeert er stoer uit te zien, en dan zegt hij iets heel cools. Dat durft hij, hij is veel stoerder geworden sinds die meisjesbacillentijd. Misschien kan hij vragen of ze meegaan naar de McDonald's? Of de bioscoop? Dat hebben ze vast nog nooit meegemaakt!

'WACHT!' roept hij en rent zo hard als hij kan naar ze toe.

'Hé, Adam,' zegt Eva. 'Wat is er?'

'Eh… ik… ja… hoe laat is het?'

Cool, hoor! Adam luistert niet eens naar het antwoord. Hij heeft het te druk met zichzelf haten.

Op de vuist van de reus

Eva zit op de vuist van de reus op Annika te wachten. De vuist van de reus is een groot rotsblok, minstens vijf meter hoog, dat eruitziet als een enorme hand. Eva heeft gehoord dat het stuk rots door het landijs van de berg losgebroken en gladgeslepen is.

Eva heeft haar rugzak bij zich. Vanaf de vuist kun je tientallen kilometers ver kijken, want hij ligt op het hoogste punt van een heuvel. Maar bijna niemand weet dat je onder de stekelige frambozenstruiken die rondom het rotsblok groeien, door kunt kruipen en dan via de barsten en spleten in de rots naar boven kunt klimmen.

Eva en Annika weten het wel. Het is hun geheime plek. Hier gaan ze alleen naartoe als ze heel blij of heel verdrietig zijn. Ze vraagt zich af waarover Annika vandaag wil praten.

Dan hoort Eva dat Annika onder de struiken door kruipt. Als ze bovenkomt ziet Eva dat ze gehuild heeft.

'Mijn moeder moet naar een congres en mijn vader gaat voor zijn werk naar het buitenland,' snikt ze. 'Tegelijkertijd!'

'Nou en,' zegt Eva. 'Dat doen ze toch altijd.'

'Ja, maar nu zijn ze er niet op mijn verjaardag! En ze hebben er niet eens aan gedacht!'

Typisch Annika's vader en moeder, die zijn altijd weg. Ze

16

werken en werken en verdienen stapels geld, dat weet Eva. Maar er blijft niet veel tijd over voor Annika.

'Stel je eens voor,' probeert Eva haar vriendin te troosten. 'Dan hebben ze een slecht geweten en geven ze je allemaal mooie cadeaus!'

'Ja hoor, die krijg ik toch wel. Ze hebben altijd een slecht geweten! En ik wil een VERJAARDAGSFEEST geven!'

Eva denkt na. 'Ik weet het! Je kunt toch gewoon zelf een feest geven!'

'Bedoel je... zonder ouders?'

Ze giechelen. Gaaf idee. Maar helaas onmogelijk.

'Dat mag ik nooit,' zucht Annika. 'Vooral niet na dat feest van de klas van die idiote broer van jou...'

Dat was een feest waarover werd gepraat. Vooral door de ouders. En niet alleen de vaders en moeders van de kinderen die in de tweede van de middelbare school zaten. Iedereen in Eva's klas had te horen gekregen dat hun ouders heel erg geschrokken waren van wat er was gebeurd.

Een min of meer verstandige vriend van Tobias kon zijn vrienden niet meer in de hand houden tijdens een feest waar geen ouders bij waren. Een paar jongens die niet waren uitgenodigd, waren het huis binnengedrongen. Samen met de grootste idioten uit de klas van Tobias hadden ze de sterkedrank van de ouders opgedronken, ze hadden glazen en serviesgoed kapot gemaakt en er had zelfs iemand overgegeven op een duur tapijt. Eva's ouders hadden Tobias een hele tijd aan de tand gevoeld en haar goedgelovige vader had hem uiteindelijk geloofd toen hij zei dat hij er niet aan had meegedaan. Eva's moeder geloofde hem niet, dat zag Eva aan haar, en Eva weet zeker dat Tobias loog. Het resultaat was in elk geval dat niemand in de hele buurt nog een feestje zonder ouders mocht geven.

'Luister,' zegt Eva als ze een tijd stil naast elkaar hebben gezeten. 'Je ouders hoeven toch niet te weten te komen dat je een feestje geeft?'

Als Annika thuiskomt gaat ze meteen naar haar moeder.

'Mam, mag ik een feestje geven op mijn verjaardag?'

'Maar lieverd, natuurlijk mag je dat!' Dan kijkt ze in de mooie agenda, die ze altijd bij zich heeft en ziet ze het.

'O nee, dat gaat niet! Dan zijn papa en ik allebei weg!'

Annika wordt hysterisch.

'Dat doen jullie altijd! Jullie zijn ALTIJD weg! Zelfs op mijn VERJAARDAG kunnen jullie niet eens thuis zijn!'

Voordat haar moeder aan kan komen met de gewone uitvluchten en beloften over alle leuke dingen die ze later zullen gaan doen als papa en zij wat meer tijd hebben, gaat Annika verder: 'En als je het aan Eva's moeder vraagt? Misschien kan zij bij het feestje zijn, in plaats van jullie?'

'Nee, Annika, dat gaat niet...'

'Wil je het niet eens VRAGEN?' gilt Annika. 'Jullie laten me in de STEEK, jullie trekken je nooit iets van mij aan, jullie...'

Bij Eva gaat de telefoon.

'IK NEEM HEM!' roept Eva. Ze rent naar de werkkamer en smijt de deur dicht. Voordat ze opneemt zet ze de radio hard aan.

18

'Hoi Eva, met de moeder van Annika. Kan ik je moeder even spreken...'

'Natuurlijk,' zegt Eva.

Ze wacht een halve minuut, knijpt dan haar neusgaten met haar rechterduim en wijsvinger dicht, haalt diep adem en zegt met haar donkerste stem: 'Dag Karin! Wat is er?'

Ze kunnen elkaar bijna niet verstaan door het gebulder van de radio op de achtergrond.

'Ja, die jeugd met hun afgrijselijke muziek,' zegt Eva. 'Sorry dat ik een beetje vreemd klink, Karin. Ik ben zo verkouden.'

'Wat vervelend,' zegt Annika's moeder. 'Ja, het is een beetje een pijnlijke situatie waarover ik bel. Ik wilde vragen of je me zaterdag kunt helpen. Annika heeft me gedwongen om het te vragen, maar als je je niet goed voelt...'

'O, maar zaterdag ben ik absoluut weer beter,' zegt Eva haastig.

Drie minuten later legt ze de hoorn neer en doet de radio uit. Het is gelukt! De moeder van Annika is erin getrapt. Het is haar echt gelukt.

Eva weet het heel zeker. Bijna tenminste.

Uitstulpingen

Toen Adam klein was, liep hij altijd helemaal bloot op het strand. Hij weet nog hoe lekker het was om rond te rennen zonder die natte, glibberige zwembroek, die nooit droog was voordat hij het water weer in ging. Lekker... en vrij op de een of andere manier...

Maar nu heeft hij hem aan, die natte, glibberige broek. Lelijk is hij ook, waar Jonas natuurlijk zo nodig iets over moet zeggen. Hij moet echt een nieuwe kopen.

'Kijk,' zegt Alexander. 'Die zijn de afgelopen zomer gegroeid!'

'Wat bedoel je?' vraagt Alexander.

'Kaisa's BORSTEN natuurlijk. Wauw!'

De hele klas is vandaag in het zwembad. En het is best moeilijk om niet naar de meisjes te kijken. Adam merkt dat zijn ogen de hele tijd naar ze toegetrokken worden, en vooral naar de meisjes die een uitpuilende bikini hebben. Het zou best interessant zijn als ze allemaal rondliepen zoals hij deed toen hij klein was. De meisjes dan...

'Behalve Kaisa heeft alleen Linda wat,' zegt Alexander. 'Linda is echt hartstikke knap!'

'Ja, dat heb je al gezegd,' zegt Adam.

Natuurlijk kijkt Adam ook naar Linda. Maar hij kijkt het meest naar Eva.

Plotseling staat Jonas op de driemeterplank en duikt het water in. Alexander duikt ook, net als Tomas, Anna-Lena en de tweelingen. Maar Adam heeft geen zin, dat heeft hij nooit. Als hij ergens staat waar het hoog is, dan is het net of er iets is wat hem naar beneden wil trekken, iets wat sterker is dan hij.

'Hallo, duikt er verder niemand meer?' zegt Jonas. 'Stelletje LAFAARDS!'

Hij kijkt naar Adam. Hoe weet hij dat Adam hoogtevrees heeft?

'Is iedereen in Polen net zo laf als jij?'

Adam loopt langzaam naar de duiktoren en begint te klimmen. Hij klimt voorbij de driemeterplank en voorbij de vijfmeterplank. Dan staat hij boven op het platform bij de tienmeterplank, helemaal aan de rand. Hij durft niet naar beneden te kijken.

Trek me dan naar beneden, denkt hij. Toe dan!

Hij zwaait een beetje heen en weer, aarzelt even en doet zijn ogen dicht. Dan doet hij een stap naar voren, recht in het lege niets.

Hij valt. Het duurt een eeuwigheid.

Eindelijk raakt hij het wateroppervlak. Het doet een beetje pijn, vooral onder zijn voetzolen.

Hij klimt uit het water. Iedereen kijkt naar hem. Eva kijkt ook.

'Ik duik niet,' zegt Adam. 'Maar ik SPRING wel!'

Vragen we ook jongens?

Annika is na school met Eva mee naar huis gegaan. Mia is er ook. Als Annika er niet was, dan zou zij Eva's beste vriendin zijn. Maar dat is een vreemde gedachte, want een wereld zonder Annika is de raarste en saaiste wereld die je je kunt bedenken. Annika kan aan niets anders meer denken sinds haar moeder toestemming voor het feest heeft gegeven. Ze kan zich niet voorstellen dat Eva's truc heeft gewerkt!

'Eigenlijk moet ik de hele klas uitnodigen. Vooral nu iedereen weet dat ik een feest geef...'

Eva wordt een beetje rood. Het is haar schuld en Annika heeft het haar nog niet helemaal vergeven. Ze kon het niet laten om Mia over het feest en de fantastische telefoontruc te vertellen. En Mia kon het niet laten om het aan Linda te vertellen, die het niet kon laten om het aan Kaisa en Jonas te vertellen. Toen Annika even later aan Eva vroeg om haar mond te houden over het feest, en vooral dat het zonder ouders was, was het te laat. De hele klas en de halve school praatten er al over. En het ergst van alles is dat Tobias en zijn afgrijselijke vrienden hebben gedreigd om onuitgenodigd op het feest te komen!

'Als ik het voor het zeggen had, dan zou ik Simon niet uitnodigen,' zegt Mia. 'Hij is zo klierig de laatste tijd, vooral tegen mij!'

'Simon,' giechelt Eva. 'Wat is hij vergeleken bij Jonas? Dat is zowat de vervelendste jongen van het hele universum. Alleen mijn broer is nog erger.'

'Ja, Jonas is een etter,' zegt Annika. 'Vooral als hij samen met de tweelingen is.'

Ze nemen een slok thee.

'Kas en Patrick zijn best saai,' zegt Annika. 'Maar misschien kunnen ze daar niets aan doen.'

'Mattias heeft altijd dezelfde trui aan,' zegt Eva.

'Getver!' roepen Annika en Mia.

'En ik word stapelgek van Tomas,' zegt Eva. 'Hij is zo kinderachtig dat het niet te geloven is!'

'Inderdaad,' zegt Mia.

'En niet alleen hij,' zegt Annika. 'Eigenlijk zijn alle jongens zo kinderachtig dat het niet te geloven is!'

Ze nemen nog een paar slokken thee.

'Ja, eigenlijk...,' zegt Mia, '... eigenlijk moet je gewoon een feest zonder jongens geven!'

Annika en Eva staren haar aan.

'Ben je niet goed bij je hoofd?!'

Wat is Russische post?

Toen Adam klein was, ging hij altijd naar verjaardagspartij-tjes. Kinderpartijtjes. En die waren meestal lang niet zo leuk als hij hoopte. Vaak liep er een lastige vader of moeder rond die erop lette dat alle kinderen het naar hun zin hadden, en die ze dwong om het ene na het andere idiote spelletje te doen. Adam wilde zelf nooit een partijtje geven, omdat het risico bestond dat zijn moeder nog ergere spelletjes zou bedenken dan alle andere ouders bij elkaar.

Adams moeder gelooft trouwens nog steeds dat Adam naar een kinderpartijtje gaat.

'Wat leuk dat je morgen een partijtje hebt,' zegt ze. 'Heb je al een leuk cadeau bedacht dat we voor Annika kunnen kopen?

'Nee,' zegt Adam. 'En ik ga niet naar een partijtje!'

'Wat? Ben je van plan om niet te gaan?'

'Annika geeft een FEEST, mam!'

En op dat feest zijn geen ouders om de boel te verpesten. Mooi. Maar waarom kriebelt zijn buik dan plotseling weer zo? Adam maakt een rondje op zijn skateboard. Het gaat niet geweldig.

'Hé, Alexander. Wat doen jullie eigenlijk als jullie een feest hebben?'

24

'Wat iedereen doet, denk ik. We eten worst en chips en pop-corn en drinken frisdrank, en meestal dansen we…'

Mooi zo. Adam houdt van dansen. Als hij tenminste niet met het verkeerde meisje hoeft te dansen. Hoewel het een beet-je eng is om iemand te vragen.

'… en we doen het belangrijkste,' gaat Alexander verder. We doen natuurlijk RUSSISCHE POST!'

'Russische post?'

'Ja, je weet wel. Een hand, een aai, een knuffel of een kus! Adam weet het. Of in elk geval zo ongeveer. Hij heeft er zelf nog nooit aan meegedaan.

'O… ja, in mijn oude klas deden we nooit Russische post…'

'Dan is het maar goed dat je hiernaartoe verhuisd bent!' Alexander lacht met zijn hele gezicht.

'Ik hou rekening met heftig gezoen zaterdag. Ik hoop dat ik verkering met Linda krijg!'

Adam lacht niet met zijn hele gezicht, zelfs niet met zijn mond.

Hoe gaat dat dan met Russische post? Hij zou aan Alexander willen vragen hoe je dat doet, maar hij durft het niet goed, niet nu in elk geval.

De gedachten tollen door zijn hoofd. Wat moet hij doen? Zal hij niet naar het feest gaat? Nee, hij wil gaan. Maar hij wil zich niet belachelijk maken!

Chips en glasland

Eva staat voor de spiegel en doet haar haren in een staart. Het wil niet echt worden zoals het moet. Het ziet eruit zoals altijd, maar vandaag moet het er mooier uitzien dan anders. Alles moet vandaag mooier zijn.

'Wij komen wat later,' zegt Tobias. 'Als het feest op gang is.'

Eva voelt zich verstijven.

'Waar heb je het over?'

'We gaan pas naar Annika als jullie allemaal een beetje aangeschoten zijn!'

Tobias grijnst.

'Je bent niet uitgenodigd! sist Eva. 'Jij niet en je vrienden niet! Hoor je dat!'

'Dat maakt niet uit,' zegt Tobias. 'We komen toch graag!'

Eva smijt haar borstel naar Tobias, die nog steeds staat te grijnzen. Ze kijkt om zich heen op zoek naar iets wat harder aankomt. De woede welt binnenin haar op, ze voelt zich als een rommelende vulkaan vlak voor de uitbarsting. De boosheid die naar buiten wil, komt helemaal vanuit haar tenen.

'Ik VERMOORD je als je komt! Ik vermoord jullie allemaal!!!'

Dan stopt Tobias met grijnzen. Hij loopt haar Eva toe en

legt zijn handen op haar schouders. Hij ziet er voor één keer eigenlijk best normaal uit, helemaal niet irritant of arrogant.
'Hé,' zegt hij. 'Natuurlijk komen we niet. Ik maak maar een grapje, snap je!'
Eva staart hem aan. Ze doet haar mond open, maar het lukt haar niet om wat te zeggen.
'Ik hoop dat jullie het leuk hebben. En hou je een beetje in met zoenen!'
Hij is eigenlijk niet zo vreselijk als ze dacht, moet ze zichzelf bekennen. Alleen maar bijna zo vreselijk.

Eva en Annika rennen als idioten in Annika's huis rond. Ze zijn zo zenuwachtig dat er niets uit hun handen komt.
'Ze komen zo,' roept Annika voor de honderdste keer.
'Kalm blijven,' zegt Eva terwijl ze een zak chips in een schaal leeg probeert te gooien.
Ze kijkt om zich heen en vindt dat het er eindelijk uitziet als een huis waar zo meteen een feest wordt gegeven.
'Zo. Nu begint het er echt gez...'
'HELP,' roept Annika. 'Het glasland!'
Het glasland is de naam die Annika heeft bedacht voor de ontelbare glazen prullen die overal in huis staan. Er staan glazen vazen, kleine glazen dieren uit alle landen waar Annika's moeder op zakenreis is geweest, kandelaars, schalen en afgrijselijke schotels. Alles is waardevol, en alles kan in duizend scherven breken.
'De kleerkast,' zegt Eva.
En dan rennen ze van vensterbank naar vensterbank en van boekenplank naar boekenplank en gooien alle prullen in

dozen met kranten op de bodem. Er gaat niets stuk, het is bijna een wonder. De dozen zetten ze in Annika's enorme kleerkast. Daarna doet Annika hem op slot en verstopt de sleutel. Dan, en pas dan, durven ze elkaar aan te kijken. Eva giechelt. Het lukt Annika om zich nog een paar seconden goed te houden, maar dan begint ze ook te giechelen.'

'Nu mogen ze komen,' zegt ze.

'Dat doen ze ook,' zegt Eva. Zo meteen.'

Een knuffel van Linda

Toen Adam klein was, kreeg hij altijd twee nachtzoenen van zijn moeder als hij naar bed moest. Hij vond een kus genoeg, maar dan zei zijn moeder altijd dat hij de tweede kus kreeg omdat hij geen broertje of zusje had, zodat ze niemand anders had aan wie ze die extra kus kon geven.

Nu weet Adam dat er nooit een broertje of een zusje komt. Zijn moeder heeft gezegd dat ze waarschijnlijk geen kinderen meer kan krijgen. Dat is jammer en hij weet dat zijn vader en moeder dat ook vinden. Adam wordt er elke keer zelfs een beetje verdrietig van als hij eraan denkt. Maar toch mag zijn moeder hem tegenwoordig helemaal geen kus meer geven, hij vindt het al heel aardig van zichzelf dat ze hem soms over zijn wang mag aaien, als er niemand kijkt.

Nee, niemand mag Adam een kus geven. En Adam kust ook niemand. Toch is het juist kussen waaraan Adam deze zaterdagavond denkt terwijl hij naar het grote huis loopt waar Annika woont.

Russische post. Hij wil niet meedoen aan Russische post. Hij doet het vast verkeerd, of hij wordt rood, of hij maakt zich voor eeuwig en altijd belachelijk. En stel je voor dat hij met een van de lelijkste meisjes moet kussen, en dat ze dan niet meer wil stoppen!

Het feest is aan de gang en is eigenlijk heel erg hetzelfde als eerdere feesten. Ze eten worstjes, pinda's en chips, ze drinken frisdrank en wat later dansen ze. Eerst dansen de meisjes alleen met elkaar, maar dan vraagt Alexander Linda. Thomas vraagt Julia en als Annika een oude plaat van Madonna opzet, vraagt Mia Adam. Hij is de eerste jongen op het feest die gevraagd wordt!

'Heb je geen bier, Annika?' schreeuwt Jonas.

'Stel je niet aan,' zegt Eva. 'Doe niet zo achterlijk!'

'Nou, ik ga in elk geval roken,' zegt Jonas. 'Ik heb een pakje van mijn vader gepikt!'

'Dat kun je vergeten,' zegt Annika. 'Er mag niemand binnen roken, dat ruiken mijn vader en moeder als ze thuiskomen!'

'Ja, dat blijft hartstikke lang stinken,' zegt Eva.

'Geen ouders, en dan mag je niet eens een sigaret roken,' zegt Jonas.

Maar Jonas rookt niet, en Adam verdenkt hem ervan dat hij zich alleen zo gedraagt om stoer te doen. Adam gelooft niet dat Jonas roken lekker vindt, zo gek is zelfs Jonas niet!

Het ongewone feest blijft gewoon, ondanks het feit dat er geen ouders zijn. Hoewel het een ander gevoel is dat er niemand is om toezicht te houden.

'Wat ben je vandaag stil, Adam,' zegt Alexander. 'Vind je het niet leuk?'

'Natuurlijk vind ik het leuk,' zegt Adam.

'Maar er is iets,' zegt Alexander.

Ach,' zegt Adam en laat zijn stem zakken zodat niemand het hoort. 'Het komt gewoon doordat ik een beetje zenuwachtig ben voor dat Russische post...'

Alexander staart hem aan.

'Juist,' zegt hij. 'Maar Annika heeft helemaal niet gezegd dat we Russische post gaan doen!'

Adam voelt zich net alsof hij een heel moeilijke repetitie achter de rug heeft zonder dat hij zijn huiswerk heeft gemaakt. Fantastisch, wat een geluk!

'LUISTER ALLEMAAL,' roept Alexander en zet de stereo af. 'WE MOETEN RUSSISCHE POST DOEN! DAT HEEFT ADAM NOG NOOIT GEDAAN!!!'

Alexander zegt snel dat hij portier wil zijn en dan begint het spel. Annika, het feestvarken, mag als eerste de donkere kamer ernaast in om postbode te zijn.

'Oké, wat voor post heb je vandaag,' vraagt Alexander.

'Hand, aai, knuffel of kus?' Annika giechelt en twijfelt even.

'Een kus,' fluistert ze.

Alexander wijst naar Daan.

'Voor wie is de post? Voor hem?'

'Nee,' zegt Annika vanuit de kuskamer. Ze ziet niet naar wie Alexander wijst. Dat is wat iedereen zo spannend vindt en wat Adam juist zo vreselijk vindt.

'Voor hem dan?' zegt Alexander.

'Nee!'

'Voor hem?'

Annika giechelt.

'Kom maar binnen.'

Je hebt geluk, Annika,' zegt Jonas. Hij loopt stoer de kamer binnen waar Annika staat.

Adam is er helemaal niet zeker van dat Annika er wel zo blij mee is dat ze hem een kus moet geven.

Even later is het Linda's beurt om postbode te zijn en alle

jongens behalve Adam gebaren dat ze aangewezen willen worden. Maar Alexander wijst alleen naar Adam, drie keer achter elkaar. Als hij dat voor de vierde keer doet zegt ze ja. Ze heeft een knuffel gekozen.

Op benen die net zo slap aanvoelen als te lang gekookte spaghetti loopt Adam naar de kamer achter Alexander. Niemand kan hem nu nog zien. Niemand behalve Linda, die in de kamer op hem staat te wachten.

'Wat zie jij er zenuwachtig uit,' zegt Linda.

'Ach,' zegt Adam. Hij weet niet goed wat hij moet doen.

'Hier is je knuffel,' zegt Linda.

En dan krijgt hij hem. Ze voelt heel warm en ruikt naar parfum. En ze is natuurlijk knap. Het is eigenlijk best... leuk op de een of andere manier...

'Gaaf, hè?' sist Alexander. 'Het is jouw beurt. Wat kies je?'

'Eh... wat?'

Adam heeft nauwelijks in de gaten dat Linda al weg is.

'Hand, aai, knuffel of kus?'

Adam twijfelt. Een kus durft hij niet te kiezen, dat weet hij heel zeker. Maar een hand is natuurlijk alleen voor echte lafaards, en...

'Neem de VRACHTWAGEN! Dat is de allerbeste! Oké?'

Adam komt er niet aan toe om antwoord te geven, en drie seconden later is Alexander al bezig om iemand aan te wijzen. En Adams buik begint natuurlijk erger dan ooit te rommelen en te kriebelen.

'Nee,' krijgt hij er met moeite uit.

'En ZIJ dan,' zegt Alexander.

En dan hoort Adam zijn eigen stem, die om de een of andere reden heeft besloten om luid en duidelijk 'JA' te zeggen.

Een heel lange vrachtwagen

Eva gaat met haar tong over haar tanden. Het lijkt wel alsof er bont op groeit, zo dik en kleverig voelen ze aan. Waarom heeft ze zoveel uienchips naar binnen geschrokt? Ze zou haar tanden eerst willen poetsen, wat moet Adam wel niet denken? Maar hij heeft waarschijnlijk ook chips gegeten. Er is niet veel over in de schalen die Eva en Annika op tafel hebben gezet.

Ze gaat staan en loopt langs Alexander. Adam is echt moedig. Hij is nieuw in de klas en de eerste keer in zijn hele leven dat hij postbode is, kiest hij de vrachtwagen!

Nu staat ze voor hem. Ze weet wat ze moet doen. Ze heeft al met drie jongens verkering gehad, en een keer duurde het langer dan drie weken.

Ze staat nog steeds voor hem.

Hij ziet er eigenlijk best zenuwachtig uit.

'Moet je niet beginnen?' vraagt ze na een paar seconden die ongewoon lang lijken.

'O... ja...'

Hij is heel erg zenuwachtig. Maar hij is lief als hij zenuwachtig is.

'Www... wat is een vrachtwagen eigenlijk?'

'Weet je dat niet?' zegt Eva. Ze kan er niets aan doen dat ze moet giechelen. 'Een vrachtwagen is...'

En dan geeft hem een kus recht op zijn mond. En ze blijft hem kussen, langer dan ze ooit heeft gedaan, net zolang tot ze voelt dat hij haar terugkust.

Als ze loslaat, heeft ze het gevoel dat Adam het jammer vindt.

'Kom op, Eva,' zegt Alexander. 'Er zijn er nog meer die willen!'

Een ongewone lunchpauze

Toen Adam klein was, was hij een kieskeurige eter. Daar hebben zijn ouders het vaak over en hij haat dat belachelijke woord. Kieskeurig. Maar hij weet dat het klopt, hij vond niet veel dingen lekker. Pannenkoeken, spaghetti en boterhammen met honing. Maar geen vis, geen gekookte groente en geen vlees als er ook maar een klein zeentje of stukje vet aan zat. En zelfs dan niet veel.

Nu eet Adam meestal wat er thuis op tafel komt. Hij moet wel. Anders zou hij waarschijnlijk verhongeren, omdat hij op school zo weinig eet. Stel je voor, boterhammen die al de hele ochtend in je schooltas zitten! Die zijn toch niet lekker meer? Het is alleen raar – en pijnlijk – dat alle anderen met zoveel smaak eten, zodat Adam altijd als laatste met zijn brood zit te spelen. En hij moet ook als laatste langs de overblijfmoeders sluipen als hij probeert om weg te gooien wat hij niet heeft opgegeten.

Toch kan het leuk zijn in de eetzaal. Vandaag is het dat in elk geval. Vandaag eet hij daar met een meisje. Een meisje dat hem nog maar twee dagen geleden heeft gekust, heel lang. Een meisje dat, hij kan het niet ontkennen, heel erg knap is. Ze heet Eva.

Zodra Adam haar op die donkergrijze, maar heerlijke maandag ziet, voelt hij dat hij rood wordt. Als ze naar hem kijkt, moet hij zich omdraaien, zodat ze het niet ziet. Hij heeft zich vast ontzettend belachelijk gemaakt in die donkere kamer. Waarom heeft hij nooit geleerd om te kussen, en hoe de verschillende kussen heten?

In de rij voor het eetlokaal staat hij plotseling achter haar. Als ze haar hoofd een beetje draait, raakt haar paardenstaart zijn wang aan. Haar haren zijn zacht, en ze ruikt zwak naar shampoo. Maar dat is het niet alleen. Hij denkt... ja, hij weet bijna zeker dat ze ook naar kaneel ruikt.

Hij gaat recht achter haar zitten. Ze zit naast Annika en hij hoort alles wat ze zeggen. Hij zou haar stem overal herkennen. En haar geur nu ook. Niet de shampoo, maar de kaneel. Hij ruikt het nu ook, hoewel het heel zwak is.

Eva eet samen met Annika, zoals altijd. Maar Adam eet met Eva.

Van wie zijn die zweetsokken?

Het stinkt heel erg. Niets in de hele wereld stinkt zo erg als jongenszweetsokken.
'Wie is er zo leuk geweest?'
Eva kijkt boos om zich heen. Ze ziet bijna meteen dat lelijke hoofd van Jonas. Hij heeft een grote, irritante, tevreden grijns op zijn gezicht.
'Stil, Eva,' zegt de juf. 'Je klasgenoten proberen te rekenen!'
Jongenszweetsokken zijn al walgelijk genoeg als ze aan jongenszweetvoeten in jongenszweetschoenen zitten. Dichterbij wil je ze niet hebben. En je wilt ze al helemaal niet op je tafel vinden. En dat is wat Eva net heeft gedaan.
Ze aarzelt. Het duurt een paar lange seconden. Dan pakt ze de sokken van haar tafel, schuift haar stoel zo hard naar achteren dat hij over de grond knarst en gaat staan. Iedereen staart haar aan.
'Deze was je zeker kwijt?' zegt Eva.
En dan loopt ze naar de tafel van Jonas en duwt de sokken stevig tegen zijn neus.
'Wat doe je?' schreeuwt Jonas als hij weer lucht krijgt. 'Dat zijn mijn sokken niet!'
'O nee? En van wie zijn ze dan wel?'
Jonas grijnst.

'Iemand hier is zijn sokken na de gymles kwijtgeraakt. Namelijk...'

Op hetzelfde moment, zonder dat ze weet hoe, weet Eva van wie Jonas de sokken heeft gestolen. Ze kijkt snel naar links en ziet de blos die zich over Adams wangen verspreidt. Ja, ze heeft het goed geraden.

'Het kan me niet schelen van wie die sokken zijn! Het interesseert me alleen wie ze op mijn tafel heeft gelegd!'

'Ik was het niet,' zegt Jonas 'Ik ben onschuldig!'

'En ik ben prinses Victoria,' zegt Eva.

'Ga zitten, Eva,' zegt de juf.

De sokken blijven de hele les op de tafel van Jonas liggen. Dan gooit hij ze in de prullenbak van het klaslokaal en daar blijven ze. De eigenaar maakt zich niet bekend.

Een onverwachte ontmoeting

Toen Adam klein was, wilde hij dirigent worden. Zijn vader zette zijn klassieke muziek altijd heel hard aan. Als hij bij een favoriet gedeelte in een symfonie van bijvoorbeeld Mozart of Vivaldi kwam, pakte hij soms een plantenstok en dan begon hij daar wild mee te zwaaien op de maat van de muziek. Als Adam vroeg wat hij deed, legde zijn vader uit dat hij dirigeerde en dan deed Adam hem zo goed mogelijk na.

Tegenwoordig schaamt Adam zich als zijn vader met de plantenstok aan het dirigeren is en luistert hij veel liever naar hardrock of naar de Rolling Stones dan naar klassieke muziek. Maar hij speelt soms wel klassieke muziek.

Adam speelt gitaar. En daar is het nu weer tijd voor. Hij staat op het punt om de deur uit te gaan met de enorme gitaar-tas in zijn hand.

'Kijk niet zo somber, Adam,' zegt zijn moeder terwijl ze probeert hem een aai over

zijn wang te geven. 'Je vindt het toch fijn om gitaar te spelen!'

Ja, dat is zo. Maar het komt doordat hij naar muziekles moet. Dat is zo sullig dat hij wel door de grond kan gaan.

Terwijl hij naar school loopt, kijkt hij ongerust om zich

heen. De tas verraadt hem als iemand hem in de gaten krijgt. Het allerergste is het als hij Jonas tegenkomt. Dan wordt hij uitgelachen, dat weet hij zeker.

Zijn vroegere leraar was best goed. Hij liet Adam een heleboel leuke nummers spelen, soms zelfs echte popnummers. Maar de nieuwe zal dat vast niet doen. In deze stad zijn alle leraren stapelgek. De Giraf is daar een goed voorbeeld van.

Hij hoopt dat hij Harry of Daan ook niet tegenkomt. Helemaal geen jongens uit de klas trouwens. Behalve Alexander, dat maakt niet uit. Alexander weet het.

Had hij nou maar elektrische gitaar gespeeld. Dan zou iedereen onder de indruk zijn. De hele klas zou praten over de nieuwe jongen met zijn elektrische gitaar. Hij droomt ervan om een rockster te worden en in een groot stadion voor duizenden mensen te spelen. Misschien moet hij proberen om Alexander zover te krijgen dat hij drums gaat spelen, dan kunnen ze samen een band formeren als hij een beetje geoefend heeft.

Adam loopt door de grote deuren naar binnen. De school is aan het eind van de middag helemaal uitgestorven. Hij begint de trap op te lopen.

Hij hoopt vooral dat hij de knapste meisjes niet tegenkomt. Hij hoopt dat hij Linda niet tegenkomt. Of Kaisa, Mia of Annika. Of Eva…

'Hoi, Adam.'

Hij draait zich om. Hij kan zijn oren nauwelijks geloven. Maar hij heeft het goed gehoord.

'Speel jij ook gitaar?' vraagt Eva.

Het roddeluur

Toen Annika vertelde dat ze niet door zou gaan met de gitaarlessen, wilde Eva eigenlijk ook stoppen. Maar toen kwam ze erachter dat Annika in plaats daarvan privézangles zou nemen, en met privé werd bedoeld dat ze dat alleen zou doen.

Dat besluit kwam natuurlijk van Annika's ouders. Die houden ervan om beslissingen te nemen. Annika kan goed zingen, veel beter dan Eva, en haar vader en moeder willen dat ze dat ontwikkelt. Dat Annika gitaar speelde vonden ze maar niets, als ze een instrument bespeelde moest het een piano zijn. Maar toen ze met de muzieklessen begonnen, had Annika gezegd dat ze wilde doen wat Eva deed, en Eva ging niet pianospelen. Bij haar thuis hadden ze geen piano en haar ouders vonden allebei dat het te duur was om er een te kopen en dat ze er in huis geen plaats voor hadden.

Ze zouden privélessen ook te duur vinden. Niet dat Eva daar zin in heeft. Maar toch. Waarom moeten haar ouders altijd zo gierig zijn?

'Dus je speelde vroeger alleen?' vraagt Stefan, de gitaarleraar. Adam knikt.

'Dat moet een rijke gemeente zijn waar je woonde. Hier zijn we altijd op zijn minst met zijn tweeën.'

'Ik speelde vroeger met Annika,' zegt Eva.

'Maar met Adam gaat het vast ook goed,' zegt Stefan. 'Als jullie elkaar eenmaal leren kennen, zal het prima gaan.'

'Mogen we de eerste keer gewoon wat spelen?' vraagt Eva. De oefeningen zijn het saaist. Verder heeft ze er niets op tegen om gitaar te spelen. Er is in elk geval geen ander instrument dat ze liever zou bespelen, en Stefan is oké. Als ze alleen maar niet hoefde te oefenen!

Adam ziet er een beetje verlegen uit. Misschien denkt hij aan die heel lange vrachtwagen. Hij is de hele week al verlegen als hij naar haar kijkt, en vaak kijkt hij haastig weg. Zou hij het niet fijn gevonden hebben? Of denkt hij misschien dat zij het niet fijn vond? Als ze samen gitaar moeten spelen kan hij er niet de hele tijd bij zitten of hij zich schaamt, dan wordt het vreselijk om met hem te spelen!

'Vond je het feest zaterdag niet hartstikke gaaf?'

Eva heeft zich voorgenomen dat het in elk geval niet haar fout is als de lessen saai worden.

'Ja,' zegt Adam terwijl hij naar haar kijkt. 'Het was ONT-ZETTEND gaaf!'

Dan begint hij een beetje te blozen. Hij denkt waarschijnlijk aan de vrachtwagen.

Maar hij ziet er tevreden uit.

'Nu spelen we een nummer dat...' begint Stefan.

'Ze hebben ontdekt dat het zonder ouders was,' valt Eva hem in de rede. 'Annika's vader en moeder. Dat was niet zo geslaagd!'

Het was de fout van het glasland. Alles was zo goed gegaan.

43

Er was maar één bord stukgegaan en dat had ook kunnen gebeuren als ze geen feest hadden gegeven. En Annika en Eva hadden hartstikke goed schoongemaakt! Ze hadden de hele zondag gestofzuigd en geboend en de afwasmachine laten draaien.

Maar toen moesten ze al die stomme glazen prullen terugzetten. Eerst kon Annika de sleutel van haar kleerkast niet vinden. Ze moesten meer dan een uur zoeken voordat Annika hem op de vloer onder een stoel vond, in de kleine kamer waar de postbode stond toen ze Russische post deden.

'Die heb je waarschijnlijk laten vallen tijdens een hete kus,' zei Eva.

'Tijdens een kus misschien,' zei Annika. 'Maar die was niet bepaald heet. Niet zoals een zekere vrachtwagen waarover ik heb horen vertellen…'

Ze giechelden. Maar dat duurde niet lang. Want toen begrepen ze dat ze een groot probleem hadden. WAAR MOESTEN ZE DE GLAZEN PRULLEN NEERZETTEN?

Ze probeerden het. Stond de blauwe glazen kat op de vensterbank bij het grote raam in de zitkamer? Ja! Maar waar stond de groene glazen vogel? En alle vazen? Stond het grote witte bord op de kleine ronde tafel in de eetkamer? En waar stond de kleine gestreepte schaal…?

Ze moesten natuurlijk gokken. Maar dat ging behoorlijk mis, zodat Annika's moeder argwaan kreeg en Eva's moeder opbelde. Die natuurlijk nog nooit had gehoord over een feest bij Annika, en nog minder dat Eva daar was geweest. En verkouden was ze al twee jaar niet geweest. Maar Eva was wel naar een feest bij Mia geweest…

Adam kijkt verbaasd. Dat weet hij niet. Eva's moeder wilde het 'schandaal', zoals ze het noemde, met de andere ouders van de klas bespreken. Maar Annika's moeder haalde haar over om in plaats daarvan niet te praten over wat er was gebeurd. Het was zo 'vreselijk gênant allemaal', het was veel beter als ze de zaak stilhielden.

'Waren ze erg boos?' vraagt Adam. 'Annika's vader en moeder bedoel ik.'

'Ja, wat denk je? Maar niet zo boos als mijn moeder. Hoewel mijn vader zoals gewoonlijk niet tegen me schreeuwde voordat mijn moeder tegen hem zei dat hij dat moest doen!'

Stefan zet vastbesloten een muziekstandaard voor Eva en een voor Adam neer en geeft ze een slechte fotokopie met noten erop.

'Ik was van plan...'

'Het is alleen vervelend dat Annika's moeder lijkt te denken dat het allemaal mijn schuld is! Dus nu heeft ze gezegd dat het goed is voor Annika als ze dingen alleen doet, zonder mij, en dat ze daarom extra blij is dat Annika naar die dure zanglessen gaat in plaats van gitaarlessen bij Stefan te nemen.'

'En wat die gitaarlessen betreft, het is de bedoeling dat we daar nu mee bezig zijn,' zegt Stefan. 'En het nummer dat ik in gedachten had...'

'BELOOF me dat je tegen niemand zegt dat ze het ontdekt hebben over het feest! Annika's moeder wil niet dat de andere ouders erover praten dat er geen ouders bij waren, dus moesten we beloven om er niets over te zeggen! Als er veel gekletst wordt denken ze dat de anderen in de klas het aan hun vaders en moeders vertellen...'

'Ik beloof…' begint Adam.

'Ik word GEK,' buldert Stefan. 'Dit is geen roddeluur, dit is een GITAARLES!!!'

Eva kijkt hem aan. Wat heeft hij plotseling?

'Wat heb je ineens?' zegt ze beledigd. 'We proberen elkaar gewoon te LEREN KENNEN!'

Alleen hij en zij

Toen Adam klein was, had hij een vriendinnetje. Ze heette Erika en woonde in het huis naast hem. Ze speelden van alles, wilde spelletjes samen met Adams vrienden en meisjesachtige spelletjes, zoals vader en moedertje. Maar toen raakte hij besmet met de meisjesbacil en dat veranderde alles. Daarna trok Adam aan Erika's haren als ze voorstelde om te spelen.

Vanaf die tijd heeft Adam geen vriendin meer gehad. Niet echt. Tot nu toe tenminste.

'Weet je,' zegt Eva. 'Ik was eigenlijk van plan om met de gitaarlessen te stoppen toen Annika zei dat ze niet verder ging.'

Adam wordt helemaal koud van binnen. Hij weet niet echt waarom.

'Wilde je dat?'

'Ja,' zegt Eva. 'Maar nu ga ik door. Want ik vind het hartstikke gaaf om met jou te spelen!'

Ze zwaait naar hem en hij zwaait terug. En dan loopt ze met haar gitaar naar het huis waar ze woont.

Adam blijft nog even staan en kijkt naar haar. Maar als ze zich omdraait en ziet dat Adam kijkt, gaat hij ook naar huis.

Ze spelen nu vier weken samen. En het lijkt erop dat ze in die korte tijd heel goede... vrienden zijn geworden.

Adam loopt op wolken. Ondanks de zware gitaartas die hij draagt, voelt hij zich licht. Het is net alsof hij zweeft.

Het is zo geweldig dat hij niet kan geloven dat het waar is. Eva vindt de gitaarlessen gaaf omdat ze met hem speelt, met Adam! En als hij er niet was geweest, dan was ze gestopt! Adam kijkt om zich heen om te controleren of er niemand naar hem kijkt. Dan geeft hij zijn gitaartas een snelle kus. Hij heeft het tenslotte aan zijn gitaar te danken dat hij nu zo gelukkig is. Als hij geen gitaar had gespeeld, was dit allemaal niet gebeurd.

Hoewel er eigenlijk niet zoveel gebeurd is. Eigenlijk helemaal niets. Maar het voelt zo! Hij heeft al vier gitaarlessen met Eva gehad en zowel voor als na de lessen hebben ze met elkaar gepraat. Soms ook tijdens de lessen, maar dan werd Stefan chagrijnig.

En wat is er belangrijker dan dat: hij BLIJFT samen met Eva op gitaarles en ELKE VRIJDAG ontmoeten ze elkaar, ALLEEN HIJ EN ZIJ – en Stefan natuurlijk!

Het is ook gezellig. Adam probeert grappige dingen tegen Eva te zeggen. De hele vrijdag op school zit hij al na te denken over wat hij gaat zeggen als ze elkaar zien. En Eva lacht bijna altijd om zijn grapjes!

Ze is niet zoals de anderen. Het is heel bijzonder om met haar te praten. Het is zelfs leuker dan praten met Alexander. Alles wat ze zegt, is geweldig. Het is niet alleen grappig, maar ook verstandig. Zulke goede dingen zou Adam nooit kunnen bedenken, hoe lang hij ook nadacht.

De zwevende Adam landt voor het flatgebouw waar hij woont. Maar zijn voeten zijn nog steeds licht, het is ongelooflijk dat ze zo weinig wegen. Als hij de trap op rent, voelt hij zich een zweefvliegtuig dat dertig centimeter boven de traptreden naar boven glijdt. Als hij op de derde verdieping zijn sleutel in het slot steekt, lacht hij zelfs tegen de chagrijnige vrouw die in de flat tegenover hen woont.

Hij smijt de voordeur dicht, schopt zijn schoenen uit en hoort zacht gerammel in de keuken. Dat betekent dat zijn moeder al thuis is. Zijn vader maakt veel meer lawaai als hij afwast. En dan horen ze ook gerinkel. Als Adams vader een afwasborstel in zijn handen heeft, is hij de kampioen glazen breken van heel Noord-Europa. Adam vraagt zich soms af of hij het expres doet, zodat hij niet meer hoeft af te wassen. Maar dat zal zijn moeder nooit pikken.

'Hé, Adam,' roept ze. 'Hoe was de gitaarles?'

'Ging wel,' zegt Adam. Dan loopt hij naar zijn kamer en doet de deur dicht.

Appeltaart en borsten

Op weg van school naar huis loopt Eva langs een parkbank, waarop de onuitstaanbare Jonas en de bijna net zo onuitstaanbare tweelingen zitten.

'Kijk, Eva,' brult Jonas.

Eva kijkt in zijn richting. Jammer genoeg.

'Zulke tieten zou jij moeten hebben!' brult Jonas.

Jonas en de tweelingen grijnzen. Ze hebben een walgelijk pornoblad gevonden dat vol staat met walgelijke foto's. Jonas laat een bijzonder walgelijke foto zien en wijst naar een paar enorme, naakte borsten.

Eva zegt niets. Ze loopt gewoon door. Van alle kinderachtige, stomme, belachelijke, idiote jongens op de wereld krijgen Jonas en de tweelingen de eerste prijs. Tobias is zelfs niet zo erg!

Na het avondeten zijn Annika en Mia bij Eva thuis. Eva geeft ze het laatste stuk van de appeltaart die ze na het eten hebben gegeten. Tobias komt erbij zitten en wil ook een stuk, maar het lukt Eva om het stukje dat over is voor haar gasten te redden.

'Lekker,' zegt Mia als ze zich in Eva's kamer hebben verschanst.

'Mijn moeder bakt nooit,' zegt Annika. 'Daar heeft ze geen tijd voor.'

'Eigenlijk is mijn vader degene die bakt,' zegt Eva.

'Mijn vader bakt ook nooit,' zegt Annika. 'Hij heeft ook geen tijd!'

'Mijn vader kan niet bakken,' zegt Mia. 'Dat is wel jammer, want hij heeft hartstikke veel tijd sinds hij werkloos is!'

Eva boert en ze giechelen alle drie.

'Je klinkt net als de jongens van de klas,' zegt Mia.

'Die boeren veel smeriger,' zegt Eva. 'Ik heb zo genoeg van ze. Ze zijn allemaal zo HOPELOOS!

En dan vertelt ze over Jonas en het pornoblad.

'Ja, zo is Jonas gewoon,' zegt Annika. 'Maar niet alle jongens zijn zo!'

'Dat dacht je maar! Welke meisjes vinden de jongens van de klas het leukst?'

'Tja, Linda natuurlijk,' zegt Mia. Ze vinden haar natuurlijk het knapst…'

'Inderdaad,' zegt Eva. 'Daar gaat het ze om! Het gaat alleen maar om het uiterlijk!'

'Maar ze vinden Kaisa ook leuk,' zegt Annika. 'En zij is helemaal niet zo knap, ze heeft vaak puistjes en zo, en… nou ja, ze ziet er eigenlijk heel gewoon uit. En… ik vind jullie veel knapper!'

Eva en Mia kijken elkaar aan.

'Jij ook!' zeggen ze in koor tegen Annika.

'Nou dan,' zegt Annika. 'Dan gaat het toch niet alleen om het uiterlijk!'

Kaisa heeft borsten!' zegt Eva.

Nu kijken Annika en Mia elkaar aan en daarna gaan hun ogen snel naar beneden, naar de heel kleine ronding onder hun shirts. Ze doen op hetzelfde moment hun mond open en Eva weet dat ze haar gelijk gaan geven.

'Jongens ZIJN hopeloos!!!'

Een meisje op de thee?

Toen Adam klein was, vond hij het fijn dat zijn moeder altijd wist wat hij vond of dacht. Alleen door even naar hem te kijken, wist ze of hij boos of verdrietig was of dat hij honger had of bang was of heel gewoon gelukkig was.

Nu weet ze niet alles meer, hoe goed ze ook naar Adam kijkt. Maar ze weet veel. Veel te veel.

Adam stopt zijn gitaar vrolijk in de tas. Het is weer vrijdagmiddag en hij wil niet te laat komen.

'Adam,' zegt zijn moeder.

Hij zucht. Wat wil ze nu weer? Als ze zo klinkt, wil ze zich altijd ergens mee bemoeien!

'Je vindt dat meisje met wie je gitaar speelt leuk, hè?'

Adams mond is in één klap droog als een woestijn en het kost hem veel moeite om een onverschillig antwoord te geven.

'Eva? Ja, dat gaat wel…'

Waarom gaat zijn moeder niet de hele dag werken? Ze heeft veel te veel tijd om in Adams geheime gedachten rond te snuffelen.

'Ik heb gebakken,' zegt ze. 'Misschien kun je haar uitnodigen om na de gitaarles thee te komen drinken?'

'Ik zie nog wel,' zegt Adam en smijt de deur dicht.

53

Na de les praten Adam en Eva ongewoon lang met elkaar, en Adam is opgelucht als hij hoort dat Eva vanavond naar Linda's discofeest gaat. Op de een of andere manier heeft hij het gevoel dat het anders niet leuk wordt.

Dat is trouwens niet zo raar. Eva is zijn enige echte vriendin en een discofeest is toch alleen maar leuk als er ook meisjes komen?

Hij gaat in elk geval met haar dansen, minstens twee keer, maar waarschijnlijk niet meer. Anders gaan ze nog denken dat hij gek op haar is!

Ze zijn bijna bij de kruising en Adam zou willen dat Eva wat langzamer liep. Dan, net voordat ze haar hand naar opsteekt om gedag te zwaaien, denkt Adam aan het voorstel van zijn moeder. Stel je voor dat hij echt aan haar vraagt of ze meegaat naar zijn huis om thee te drinken? Stel je voor...

'Zeg, Eva,' begint hij.

'Ja?'

'Eh... ik... wat ga je nu doen?'

Hij heeft het GEZEGD! Hij durfde het allermoeilijkste te zeggen!

'Niets bijzonders,' zegt Eva. 'Heb je zin om met mij mee naar huis te gaan om thee te drinken?'

Inpakken en een erwtenbrein

Eva gooit haar rugzak met boeken op de grond en schopt haar schoenen uit. Adam doet zijn schoenen ook uit en zet zijn tas ernaast. Zijn spullen staan er een beetje onbeholpen bij, zoals ze daar netjes staan opgesteld midden tussen de chaos van schoenen, tassen, truien, jassen en basketbalpetten die over de vloer van de gang verspreid liggen. Het heeft geen nut om bij Eva thuis netjes te zijn. Als ze het een keer probeert, dan verpesten Tobias en Max alles meteen weer.

Als ze de keuken binnenkomen, is het daar ook een troep. Iemand heeft drie tassen en een koffer neergezet. Eva moet eroverheen klimmen om bij het fornuis te komen om theewater op te zetten.

'Hallo, Eva,' roept haar moeder. 'Ik heb al voor je ingepakt!' Eva begrijpt er niets van. Haar moeder komt de keuken binnen en staart naar Adam.

'Hallo,' zegt ze na een paar pijnlijk lange seconden. 'Jij moet Adam zijn!'

Adam probeert antwoord te geven, maar Eva's moeder heeft haar normale tempo weer terug.

'Je moet opschieten,' zegt ze tegen Eva. 'We gaan naar oma. Tenminste, als je vader de auto aan de praat krijgt.'

Natuurlijk lukt haar vader dat. Nadat de auto eerst een tijdje heeft gesputterd en gerateld. Dat is een van de weinige dingen waarin hij echt goed in. Eva's moeder denkt dat het beter zou zijn als hij goed was in veel geld verdienen. Dan konden ze een nieuwere en betere auto kopen dan de oude, roestige Saab 99 waarin ze zich altijd moeten persen.

Eva pakt kalm twee theekoppen uit de kast. Ze kijkt stiekem naar Adam, die eruitziet alsof hij zo snel mogelijk onzichtbaar wil worden.

'Doe oma de groeten van me,' zegt Eva.

Bij Eva thuis maken ze vaak ruzie. Zo is het nu eenmaal. Eva weet dat er wat minder ruzie zou zijn als ze zich inhield. Maar het is moeilijk om je in te houden als Tobias en haar moeder zoveel idiote dingen bedenken. Zoals dat ze dit weekend naar oma gaan, terwijl ze hadden afgesproken om dat volgend weekend te doen.

'Oma belde gisteren om het te veranderen. Ze kan volgend weekend niet!'

'En IK kan DIT weekend niet! Linda geeft vanavond een DISCOFEEST!'

'Ja, dat is vervelend, Eva. Maar...'

'Ik ga morgen wel,' zegt Eva snel. 'Ik kan de trein nemen!'

Nu komen de andere gezinsleden de keuken in en worden toeschouwers van de strijd. Adam krijgt ook een paar nieuwsgierige blikken. Hij ziet eruit alsof hij in een zwaluw wil veranderen en het raam uit wil vliegen. Eva schaamt zich er een beetje voor dat Adam daar moet staan en zich zo rot moet voelen.

'Je snapt toch wel dat ik er niet over pieker om je alleen

thuis te laten?' zegt haar moeder. Ze kijkt vragend naar Eva's vader. 'Zeg jij het dan, Alex!'

'Eh,' begint hij. 'Ja, dat is waar. Dat gaat natuurlijk niet, Eva.'

'Probeer dat te begrijpen, erwtenbrein!' zegt Tobias.

'Zo is het, erwtenbrein,' praat Max hem na.

Eva kijkt ze vernietigend aan.

'Dan slaap ik wel bij Annika! Zo, dat is dan geregeld.'

Nu krijgt haar moeder een onbehaaglijk triomfantelijke blik in haar ogen.

'Stop met die onzin. Je weet heel goed dat Annika met haar ouders in Kenia is!'

Dat weet Eva. Maar het is erg jammer dat haar moeder het ook weet.

'Nou,' zegt Eva terwijl ze haar hand op Adams schouder legt. 'Dan slaap ik gewoon bij Adam!'

Nachtelijk gezelschap

Toen Adam klein was, kwam het wel eens voor dat Daniël, een jongen die in hetzelfde trappenhuis woonde, bij Adam sliep. Hij vertelde altijd spookverhalen. Het waren geen spannende verhalen. Maar het was wel spannend dat er iemand bleef slapen.

Nu slaapt Daniël niet langer bij Adam. En zijn andere vrienden ook niet, zelfs al had Alexander vorige week bijna bij hem geslapen. Maar de meisjes die hij kent hebben nog nooit bij hem geslapen. Nog niet tenminste.

Eva loopt naast Adam. Ze zijn samen naar het discofeest geweest. En nu slaapt ze bij hem!

'Wat was dat gaaf!'

Adam geeft geen antwoord. Eva's woorden hebben te veel moeite om zich langs de gedachten die in zijn hoofd rondtollen te wringen.

'Vond jij het niet gaaf?'

Nu hoort Adam het. En hij krijgt de controle over zijn tong terug.

'Jawel.'

Hij denkt dat hij er gelukkig uitziet. Dat moet wel.

'Ik heb beddengoed bij me,' zegt Eva.

'Dat had je van ons ook wel kunnen krijgen,' zegt Adam.

De hele avond bij Linda thuis heeft hij gedacht aan wat er nu gebeurt. Dat Eva met hem mee naar huis gaat, voor de ogen van de hele klas. Alexanders ogen vielen zowat uit hun kassen toen hij het hoorde. En toen Eva en Adam in Linda's hal stonden en hun jassen aantrokken, hoorde Adam dat het geroddel in de zitkamer begon.

'Nu denken ze dat we verkering hebben,' zegt Eva. 'Kaisa vroeg aan Mia of dat zo was.'

Adam weet niet wat hij moet zeggen. School wordt maandag een ramp, iedereen zal nieuwsgierig zijn en over Eva praten en willen weten wat ze die nacht hebben gedaan.

Tegen Eva gaan ze natuurlijk ook zeuren. Toch loopt ze naast Adam. Alsof het haar niets kan schelen.

'Ze snappen niet dat je gewoon vrienden kunt zijn,' zegt Eva. 'Zij hebben geen jongens als vriend.'

Ze klinkt helemaal niet bezorgd. Adam denkt dat hij er gelukkig uitziet. Dat moet wel. En maandag ziet hij wel weer.

Adams vader en moeder gedragen zich natuurlijk belachelijk. Zelfs nog erger dan hij had gedacht. Vooral zijn moeder. Hij schaamt zich iets minder als hij merkt dat Eva zich daar niets van aantrekt.

'Ik heb in de logeerkamer een bed voor je opgemaakt, Eva.' Adams moeder lacht zo breed dat haar tanden bijna uit haar mond vallen.

'Het is zo leuk dat we je eindelijk ontmoeten!'

Adam kreunt. Dat zegt ze nu. Maar toen Adam belde en zei dat Eva kwam logeren, klonk ze eerder alsof ze ging flauwvallen.

'Dank u,' zegt Eva. 'Maar ik heb mijn eigen lakens bij me.'
'Wat attent,' zegt Adams moeder.
Adams vader lacht ook, bijna net zo idioot als zijn moeder.
Maar hij is tenminste zo verstandig om zijn mond te hou-
den.

Adam ligt in bed. Het bed staat tegen de muur. Aan de andere kant van de muur is de logeerkamer. Daar staat het bed
waarin Eva slaapt. Ze is minder dan veertig centimeter bij
hem vandaan.

Een feest met jongens met brommers

Linda heeft verkering met een jongen uit de tweede klas van de middelbare school. Een jongen met een brommer. En daar schept ze over op.

'De jongens uit de tweede snappen wat meer dan die sukkels in onze klas. Die zijn zo ongelooflijk KINDER-ACHTIG!'

Alle meisjes die om Linda heen staan mompelen instemmend. Linda staat in het middelpunt van de belangstelling.

Maar Eva weigert om mee te doen aan de verering.

'Ziet hij er wel goed uit? Of is het genoeg dat hij een brommer heeft?'

Linda kijkt Eva woedend aan.

'Natuurlijk ziet hij er goed uit. Anders zou ik geen verkering met hem hebben!'

Eva is daar niet zo zeker van. Maar dat zegt ze niet.

'Ik weet toch dat jij graag met die baby's uit onze klas aanpapt,' zegt Linda.

De meisjes lachen. Ze lachen allemaal, behalve Annika. Dat moest ze ook eens wagen!

'Ik heb toch gezegd dat Adam en ik alleen vrienden zijn!'

Het is nu een week geleden dat Eva bij Adam heeft geslapen. Een week en tweeduizend keer grijnzen.

Het is zaterdag en Eva gaat naar een feest. Van haar klas zijn alleen Linda en zij uitgenodigd. Alle anderen zitten op de middelbare school. Linda's vriend heeft Eva op een klassenfoto gezien en aan Linda gevraagd of ze Eva meenam naar het feest. Hij vond Eva mooi. Linda was helemaal niet zo arrogant toen ze het vroeg. En alle andere meisjes van de klas zijn jaloers omdat alleen Eva en Linda zijn uitgenodigd. Sommige jongens van hun klas zijn best leuk, maar ze zijn inderdaad wel een beetje kinderachtig.

De volgende maandag op school wil iedereen het weten. 'Hoe was het feest?' vraagt Mia. 'Hoe waren de jongens?' Iedereen is nieuwsgierig. Er staan bijna net zoveel meisjes om Eva als om Linda heen.
'Tja,' zegt Eva nadenkend. 'Ze waren heel anders dan de jongens van onze klas!

Later is Eva alleen met Annika.
'Het was vreselijk!'
Annika is niet verbaasd.
'Ik zag het aan je!'
'Het was verschrikkelijk saai! En die jongens waren superarrogant! En die van Linda was zowat de ergste van allemaal!
Annika ziet er heel tevreden uit. Eva heeft heel even een slecht geweten. Annika was natuurlijk bang dat Eva haar in de steek zou laten, en om zou gaan met Linda en haar nieuwe vrienden van de middelbare school in plaats van met haar.

'Ik heb er spijt van dat ik naar dat feest ben gegaan. Het was helemaal niet leuk, omdat jij niet was uitgenodigd.'

Annika ziet er nog wat tevredener uit.

'Ik was gewoon nieuwsgierig naar die jongens,' zegt Eva.

'Waren er ook leuke jongens?'

'Ik ben niet van plan om iemand die zo arrogant is leuk te vinden. Waarom zijn er geen jongens die zijn zoals ik wil?'

Annika kijkt haar onderzoekend aan.

'En Adam dan? Ben je niet verliefd op hem?'

'VERLIEFD? OP ADAM?'

Eva ergert zich een beetje aan de vraag. Annika zou toch beter moeten weten.

'Je weet toch dat we alleen VRIENDEN zijn!'

Naar het geboorteland van de hamburger

Toen Adam klein was, droomde hij soms dat hij ontdekkingsreiziger zou worden. Hij zou naar de allerspannendste plekken op aarde reizen, waar nog geen mensen waren geweest, en elke keer zou hij nieuwe plekken ontdekken, die nog spannender waren. Natuurlijk zou hij overal fantastische schatten vinden en televisiemaatschappijen van over de hele wereld zouden erom vechten hem te mogen interviewen. Niemand zou zo'n spannend leven hebben als Adam.

Zo heel erg veel spannende reizen waren het niet geworden, nog niet in elk geval. Zelfs al was hij drie keer in Polen, twee keer in Denemarken en een keer in Noorwegen geweest. En de keer naar Finland en drie keer naar Åland tellen natuurlijk ook mee.

Maar nu misschien...?

'Ik wil naar New York,' zegt Alexander en hij neemt een grote hap van zijn hamburger. 'Het MOET New York worden!'

'Is dat niet te duur?' vraagt Adam.

'De vrouw op het reisbureau zei dat er goedkope reizen zijn. Heel goedkoop. En onze ouders kunnen er wat bijleggen als dat nodig is!'

Adam slurpt het laatste restje van zijn milkshake op.

Alexanders idee is zoals gewoonlijk heel erg onrealistisch. Het is beter om te gokken op iets wat gaaf is zonder dat het onmogelijk is. Eva heeft gezegd dat ze naar Kopenhagen wil...

'Kun je het je voorstellen?' zegt Alexander met zijn mond vol Big Mac. 'Het geboorteland van de hamburger!'

'Jazeker,' zegt Adam.

'En van het skateboard en van Madonna en van Arnold Schwarzenegger en...'

'Arnold Schwarzenegger komt uit Oostenrijk,' zegt Adam.

'Is dat zo? Maar hij woont toch in Amerika?'

'Ik weet het niet. Misschien. Maar daar gaan we toch niet naartoe.'

De klas heeft meer dan een maandlang geld gespaard, vanaf dat het schooljaar begon. Ze gaan op schoolreis.

Op weg naar huis krijgt Alexander een nieuw idee.

'Polen,' zegt hij.

'Wat?'

'Als we niet naar New York gaan, dan wil ik naar Polen. Ik wil weten hoe het land waar jij vandaan komt eruitziet!'

'Ik kom niet uit Polen!'

'Maar je vader komt ervandaan. Zijn de meiden daar mooi?'

Adam zucht. Soms is Alexander echt vermoeiend.

'Hoe moet ik dat weten?'

'Jij bent er geweest! Ken je geen mooie Poolse meiden?'

Adam denkt een paar seconden na. Met tegenzin.

'Mijn nichtje Irena is best knap.'

'Ik wist het! We moeten haar schrijven!'

Nu kan Adam het niet laten om te lachen.

'Je bent stapelgek, weet je dat?'

'Ik moet haar vragen een foto te sturen. Wat is "ik hou van je" in het Pools?'

Dat weet Adam niet. Zijn Poolse woordenschat bestaat uit acht woorden. Plotseling vindt hij dat jammer.

Alle flessen en potten met statiegeld. Alle loten die zijn ver-kocht. En de drie vlooienmarkten! Dat moet toch op zijn minst genoeg zijn voor Kopenhagen.

Adam hoest. Stel je voor dat hij maandag ziek is als ze erover gaan stemmen.

'Je ogen glimmen,' zegt Eva. 'Heb je koorts?'

'Ach,' zegt Adam. 'Maar neem jij dit, voor als ik ziek word!'

Ze zijn net klaar met de gitaarles en Adam heeft hartstikke slecht gespeeld. Hij heeft zich alleen geconcentreerd op niet hoesten en er lukte helemaal niets. Als het niet om Eva was geweest, was hij vandaag helemaal niet gegaan.

Eva kijkt naar het opgevouwen stukje papier.

'Wat is dat?'

'Dat is mijn stem. Ik heb hem opgeschreven.'

'En wat is het?'

'Dat is geheim,' zegt Adam. 'Maar je mag raden.'

'Kopenhagen,' zegt Eva.

Adam knikt. En Eva beloont hem met haar allerstralendste glimlach. Die straalt hem tegemoet tot hij weer moet hoesten.

Adams vader zit op de rand van Adams bed. Hij ziet er bezorgd uit.

'Meer dan 39 graden. Misschien moeten we een dokter bellen.'

'Natuurlijk niet,' zegt Adam. 'Ik voel me al een stuk beter!'

In werkelijkheid voelt hij zich hartstikke beroerd. Waarom moet juist hij altijd zo'n hoge koorts krijgen als hij verkouden is?

Zijn vader zucht.

'Ga slapen. Dan ben je morgen misschien weer beter.'

Hij staat op.

'Pap,' zegt Adam. 'Hoe zeg je "ik hou van je" in het Pools?'

Kocham cię

Eva legt haar stembriefje in de doos.

'En dit is Adams stem.'

Ze legt Adams briefje er ook in. Dan ziet ze Linda's gezicht. Linda heeft de stemming geregeld en ze probeert net als Alexander om iedereen zover te krijgen dat ze stemmen op hun idiote plan om naar New York te gaan. Eva heeft er absoluut niets op tegen om daarnaartoe te gaan. Maar hoe moet ze haar vader en moeder zover krijgen dat ze al het extra geld dat het kost erbij leggen? Dat lukt nooit!

'En waarom geeft Adam zijn briefje juist aan jou?' vraagt Linda.

Ze zegt het hardop, zodat de hele klas het kan horen. Op haar gezicht staat het antwoord al te lezen. Het antwoord dat onmiddellijk wordt gegeven door Jonas:

'EEN LIEFDESBRIEF! EVA IS VERLIEFD OP ADAM!'

'Doe normaal,' zegt Eva. 'Ik kreeg het bij gitaarles. Wat doen jullie achterlijk!'

'Ik durf er wat onder te verwedden dat hij op Kopenhagen stemt!' roept Jonas.

'Hij beslist zelf waarop hij stemt!' sist Eva.

Maar Annika beslist niet zelf waarop ze stemt. Ze laat Eva in de steek en kiest voor New York, alleen maar om Alexander blij te maken. Snapt ze niet dat hij nooit verliefd op haar wordt, wat ze ook doet?

Julia en Sofia willen naar Åre en Mia en Simon willen naar Kopenhagen. Verder lijkt het erop dat de meesten stemmen wat Linda, Jonas en Alexander willen. Er zijn er altijd veel die doen wat Linda en Jonas willen, zonder erover na te denken wat ze zelf eigenlijk willen.

Nu kan ze alleen maar hopen. Iedereen heeft gestemd. Ze hoopt dat Alexander en Linda niet vals spelen als ze de stemmen tellen.

Het zou zo gaaf zijn om naar Kopenhagen te gaan, om Tivoli te zien en Deens ijs te eten. Maar haar vader en moeder moeten haar ook laten gaan als het New York wordt. Als alle anderen gaan, dan mag Eva ook! Vanavond is er een ouderavond over de schoolreis en dan vertellen Linda en Alexander aan de ouders wat de klas heeft gestemd.

Het is een heel grijze dinsdag en de regen sijpelt onafgebroken over alles en iedereen naar beneden. Vooral over Eva, die zonder regenjas naar school is gegaan. Ze heeft bijna zin om de lerarenkamer binnen te sluipen en de paraplu van de Giraf te jatten.

'Ga je mee?' zegt ze. 'Ik heb beloofd om het aan hem te vertellen. Zijn vader en moeder waren niet op de ouderavond.'

'Oké,' zegt Annika. 'Weet je zeker dat je niet gek op hem bent?'

'Moet je net zo stom doen als de anderen?'

'Misschien weet je het zelf niet. Probeer of je iets voelt. Ik heb gelezen dat je het in je hele lichaam voelt als je echt verliefd op iemand bent. Zelfs als je hersenen hebben besloten dat je alleen vrienden bent!'

Eva snuift.

'En in wat voor stom blaadje heb je dat nou weer gelezen?'

'Elke keer dat ik Alexander zie begint mijn hart sneller te slaan! Echt waar!'

Ze lopen de voordeur binnen en de trap op. Er komen natte voetsporen op de trap. Eva's hart slaat heel normaal.

Ze belt aan en Adam doet open. Hij heeft een badjas aan en snottert. Ze wil niet aangestoken worden.

'We komen niet binnen,' zegt Eva. 'Het ging als volgt. Åre kreeg drie stemmen, Kopenhagen kreeg er helaas maar vijf...'

'... maar New York kreeg ZESTIEN stemmen!' zegt Annika.

Adam hoest, maar het hoesten gaat over in lachen. Hij kan bijna niet geloven dat het waar is.

'Ongelooooooooooflijk! Dan GAAN we dus naar New York?'

'Nee,' zegt Annika.

Nu ziet Adam er verward uit. Hij ziet er eigenlijk heel lief uit met zijn verwarring en zijn badjas.

'Maar je zei toch dat...'

'We gaan naar Fryksås,' zegt Eva. 'Dat ligt in Dalarna.'

'Maar...'

'Dat is waar de OUDERS op hebben gestemd!'

Als Eva en Annika de voordeur uitlopen gaat er een raam boven ze open.

'Eva, je gaat vrijdag toch naar gitaarles?' roept Adam.
'Natuurlijk,' roept Eva. 'Ben je dan weer beter?'
'Natuurlijk,' roept Adam. 'Kocham cię!'
Eva kijkt naar hem. Hij ziet er gelukkig uit.
'Wat?'
'KOCHAM CIĘ! Dat is iets wat ze in Polen zeggen!'

Als ze uit het zicht zijn, houdt Eva haar handpalm voor
Annika's neus.
'Voel maar! Mijn pols is helemaal normaal – en dat was hij
de hele tijd toen we bij Adam waren!'
Maar ze zegt niets over de vlindertjes die in haar buik rond-
vliegen.

Wie vertrouwen de meisjes?

Toen Adam klein was, had hij veel geheimen. Maar dat waren meestal kleine geheimen. Soms begroef hij zijn zakgeld achter een boom en dan wilde hij het pas opgraven als hij oud was en dan zouden het oude munten zijn die hartstikke veel geld waard waren. Het was spannend dat alleen hij wist waar het geld was. Maar hij had altijd zo'n trek in snoep en dan groef hij het geld weer op en kocht hij er snoep voor.

Het geheim dat Adam nu heeft is groot, zo groot dat het moeilijk is om het helemaal alleen te dragen. Hij moet het met iemand delen.

Adam heeft nog steeds niemand met wie hij zijn geheimen kan delen. Dat is jammer. Maar het zou kunnen. Als hij dat wilde. Waarom zou hij rond blijven lopen met iets wat zo groot en zwaar is dat zijn hoofd er bijna van uit elkaar barst?

'Ik ben verliefd,' zegt Adam.

'Dat werd tijd,' zegt Alexander.

'Op Eva,' zegt Adam.

'Nee, echt waar?' zegt Alexander en draait dan een rondje op zijn skateboard. 'Dat wist ik allang, joh! Natuurlijk op Eva!'

'Het is een geheim.'

'Uiteraard,' zegt Alexander. 'Maar Eva moet het weten. Als je tenminste wilt dat het iets wordt.'

Adam lacht.

'Ik heb het tegen haar gezegd!'

Alexander valt van zijn skateboard.

'ECHT WAAR?'

'Ja. In het Pools...'

Adam fluistert de woorden steeds weer, bijna onhoorbaar. Kocham cię! Hij gluurt naar Eva, die schuin voor hem naast Annika zit. Kocham cię! Ik ben verliefd op je! De bus begint te rijden. Iedereen schreeuwt. Ze zijn op weg. De schoolreis is begonnen!

'Wat een kans heb je nu,' sist Alexander in Adams oor.

Adam weet waar Alexander aan denkt. Maar toch zegt hij:

'Wat dan?'

'Om verkering met Eva te krijgen natuurlijk!'

'Stil!' sist Adam. Hij kijkt ongerust om zich heen. 'Iedereen kan het horen!'

'Ik fluister toch,' fluistert Alexander. En met zoveel lawaai als deze bus maakt hoort niemand het, zelfs niet als ik schreeuw!'

'Wat bedoel je dan?'

'We zitten vier dagen op een hartstikke saaie plek in Dalarna. De meiden zullen als een gek achter ons aanzitten, ze hebben niets anders te doen!'

Adam lacht. In zijn hoofd ziet hij beelden van de meisjes van de klas die met brandende ogen en hun tong uit hun mond achter de arme jongens van de klas aanrennen.

'Je bent gek,' zegt hij.

'Zodra we in Fryksås aankomen, vraag ik of Eva verkering met je wil, en...'

'Nee,' roept Adam.

Een paar hoofden in de stoelen voor ze worden omgedraaid. Adam kijk uit het raam.

'Waarom niet?' sist Alexander.

'Misschien zegt ze nee,' fluistert Adam. 'En we zijn zulke goeie vrienden en...'

'Je DURFT niet!'

'Ik wil niet. Nog niet.'

Helemaal achterin de bus begint Jonas een smerig drinklied te zingen, dat hij heeft geleerd toen zijn ouders een feest hadden. De tweelingen en een paar andere jongens lachen. Als ze met de bus gaan, zit Jonas altijd helemaal achterin.

'Ik ga in elk geval keihard achter Linda aan,' fluistert Alexander. 'Ik heb gehoord dat ze genoeg heeft van die jongen met die brommer, en...'

'Waarom probeer je het niet bij Annika? Ze is verliefd op je, dat heb je zelf gezegd! Moet Jonas zo hard zingen dat het pijn doet aan je oren?'

'Eh... ze... ik weet het niet...'

Alexander ziet er heel even verlegen uit. Dat is heel ongewoon. Adam krijgt plotseling het idee dat Alexander niet verliefd durft te worden op iemand die verliefd is op hem. De Giraf loopt voorbij om tegen Jonas te zeggen dat hij iets anders moet zingen.

'Nee, jij moet achter Annika aangaan!' sist Alexander op het moment dat Jonas een nog smeriger lied begint te zingen.

'Ben je niet goed bij je hoofd?'

'Snap je het niet? Als je geen verkering wilt vragen is dat de beste manier! In wie heeft een meisje het meeste vertrouwen?'

Adam geeft geen antwoord. Hij weet dat Alexander dat zo meteen zelf doet.

'In haar hartsvriendin natuurlijk,' sist Alexander. 'Dus als je Annika zover kan krijgen dat ze jou leuk vindt, dan zegt ze een hoop goeie dingen over jou tegen Eva, en dan hebben jullie al zowat verkering!'

Klei op een witte broek

Eva heeft in elk geval één ding geleerd. Ze gaat nooit werken in een zagerij. De groep waarin de Giraf haar en Annika heeft gezet, is de eerste dag van de schoolreis op bezoek bij een lawaaiige, oersaaie zagerij, waar ze een paar arbeiders hebben geïnterviewd. Het is de bedoeling dat ze alles over het bos weten als de schoolreis achter de rug is. Eva had liever alles over Tivoli in Kopenhagen willen weten.

'Zal ik voor je toveren, Annika?' vraagt Adam.

Ze zitten voor de zagerij te wachten op de bus die ze ophaalt. Annika giechelt en knikt, en dan tovert Adam eerst een kroon weg, die hij even later achter Annika's oor weer tevoorschijn haalt. Heel knap.

'Tover je niet voor mij?' vraagt Eva.

'Nee,' zegt Adam lachend. 'Jij bent te slim. Daar trap jij nooit in!'

'Wat? Ben IK niet slim?' lacht Annika. Ze gooit een klomp klei naar Adam.

'Jawel,' zegt Adam. 'Maar niet zo slim dat je er niet intrapte!'

Annika gooit nog een klomp klei naar Adam, die bukt. Hij komt tegen Alexander aan, die meteen een twee keer zo grote klomp klei tegen Annika's witte broek gooit.

Annika kijkt ontsteld naar de enorme vlek die achterblijft,

en Alexander ziet er een beetje geschrokken uit. Eva en Mia giechelen en dan gooit Annika ook een klomp naar hen.
Nu lachen ze alle vijf. Ze weten niet alleen alles van het bos, maar ze zijn ook heel goed met klei.
In de bus denkt Eva aan wat Adam heeft gezegd. Ze wil graag dat hij haar slim vindt. Maar te slim…?

Ze zitten aan tafel voor het avondeten. De groepen zitten bij elkaar en Adam zit recht tegenover Eva. Hun ogen ontmoeten elkaar en Eva houdt zijn blik vast. Ze zeggen niets. Het duurt een paar seconden en tegelijkertijd een eeuwigheid. Dan vraagt Adam aan Annika hoe het met haar broek is afgelopen.
'Je mag hem wassen als je wilt!'
'Dat mag Alexander doen,' zegt Adam.
'Vergeet het maar,' zegt Alexander.
Annika kijkt naar hem met een gelukkige blik in haar ogen.
Eva kijk naar haar beste vriendin. Nu hoopt ze weer. En dat terwijl Eva haar nog zo heeft gewaarschuwd.
Eva wil geen stoofschotel meer. Maar ze blijft zitten tot de anderen van hun groep van tafel opstaan. Alexander en Adam waren er echt heel snel bij om te zorgen dat ze in dezelfde groep als Eva en Annika kwamen. Het leek wel alsof ze dat heel graag… wilden.
Ze vraagt zich af wie van de twee dat het meest wilde.

De eerste avond sluipen Jonas, Linda, Johanna, Kaisa en de tweelingen naar buiten en gaan achter het gebouw staan waar de meisjes slapen. Eva hoort ze en kijkt naar buiten.

Jonas haalt iets uit zijn zak en dan licht er iets op in de herfstavond. Ze roken stiekem.

Eva weet al precies hoe Jonas daarover gaat opscheppen bij het ontbijt morgenochtend. Als hij gevraagd had of ze mee wilde doen had ze nee gezegd. Ze heeft een keer een trek-je genomen en dat smaakte vreselijk. Echt walgelijk!

Maar waarom zijn alleen Linda, Kaisa en Johanna erbij? Ze hebben het blijkbaar niet tegen de anderen gezegd. Ze hadden het in elk geval aan Eva kunnen vragen!

De avond dat alles mogelijk is

Toen Adam klein was, werd hij altijd als eerste wakker. Dan was het zo magisch stil. Er reden nog geen auto's en bussen en er was niemand wakker, behalve de krantenjongen en misschien een paar vogels. Dan pakte hij een stripblad of een boek en ging in zijn bed liggen lezen. En elk moment voelde kostbaar, juist omdat hij alleen was.

Nu is Adam 's ochtends altijd moe. Maar deze ochtend wordt hij bijna net zo vroeg wakker als vroeger. Hij ligt een tijdje te denken, bladert wat in Alexanders skateboardtijdschrift en leest in Simons Geheim Agent X9, dat hij gisteren heeft geleend. Dan staat hij stil op en kijkt door het raam naar buiten, naar de slaapzaal van de meisjes. Eva slaapt daar. Kocham chi_!

Er is geen beweging te zien. Hij blijft een minuut of vijf kijken. Dan voelt hij dat hij nog wat kan slapen. Hij wordt wakker als de eerste stralen van de herfstzon in zijn gezicht schijnen. De bladeren die geel zijn geworden lijken nu van goud. Het is net alsof het... een teken is.

'Wakker worden, Alexander!' zegt Adam terwijl hij zijn dekbed van hem aftrekt.

Alexander trekt het weer naar zich toe.

'Het wordt een topdag vandaag! Kom eruit!'

'Verdwijn en laat me met rust!' bromt Alexander onder het dekbed. 'Ik wil slapen!'

Bij het ontbijt zijn veel stoelen leeg. De stoel naast Eva is ook leeg. Zal hij...

Adam aarzelt. Dan gaat hij tegenover haar zitten. Dat is ook dichtbij.

'Wat was iedereen gisteren saai!' zegt Jonas. Hij gaat naast Eva zitten. 'Je had met ons mee moeten doen, Eva, in plaats van net als alle droogstoppels te gaan slapen. We hebben hartstikke veel gerookt!

Hij lacht.

Waarom is Adam daar niet gaan zitten?

'Jij hebt gisteren toch niet gerookt?' vraagt Eva aan Adam.

'Nee,' zegt Adam.

'Gelukkig,' zegt Eva.

Jonas zegt niets. Hij boert, staat op en gaat bij een andere tafel zitten.

De eerste avond was niet zo saai geweest als Adam dacht. Het lijkt erop dat de meesten vroeg zijn gaan slapen, maar er zijn er een paar die iets anders hebben gedaan. Als bijna iedereen klaar is met eten komen Thomas en Sofia de eetzaal binnen – hand in hand!

Iedereen zit met open mond te kijken. En al snel weten ze allemaal wat er is gebeurd. Toen Thomas naar bed wilde gaan, sloop Julia het jongensgebouw binnen om de kamer waar Thomas sliep te zoeken. En toen heeft ze gevraagd of Thomas verkering met Sofia wilde.

Thomas, die een beugel heeft!

Natuurlijk heeft hij ja gezegd. Hij is al een hele tijd verliefd op Sofia. Ze is na Linda en Kaisa het populairste meisje van de klas. Niet dat Thomas niet leuk is. Adam vindt hem oké, en dat vinden veel meisjes ook. Maar hij heeft een beugel die je elke keer als hij zijn mond opendoet, ziet.

En nu heeft hij dus verkering met Sofia. Het lijkt alsof alles mogelijk is. Het is net alsof het... een teken is.

'Zoen haar dan!' brult Jonas.

Thomas wordt niet rood. Sofia ziet er niet boos uit. Nee, Thomas lacht alleen, buigt zich naar haar toe en geeft haar een beugelzoen midden op haar mond.

De eerste dag praat Annika veel met Alexander. Maar als de groep op stap is om een man te interviewen die bomen velt met een motorzaag komen ze Linda's groep tegen, en Alexander blijft minstens tien minuten lang met Linda praten. Daarna praat Annika bijna alleen nog met Adam.

Eva is stil. Dat is ze anders niet.

Maar als ze wel iets zegt, is ze grappig.

'Dit noemen ze zeker een bomenslachting?' vraagt ze aan de man die alle bomen op een kleine heuvel in het bos heeft geveld.

De man kijkt haar ernstig aan.

'Ja, er wordt veel te veel gekapt tegenwoordig,' zegt hij.

Adam denkt er niet zo over na hoeveel bomen er worden gekapt. Hij denkt aan Eva. Af en toe denkt hij ook aan de andere meisjes in de groep, zoveel als de laatste paar dagen heeft hij nog nooit met meisjes gepraat. Hij is de meisjesbacillen voorgoed kwijt...

Hij gluurt naar Mia, die vlak naast hem staat. Eigenlijk is ze best knap. En dat is Annika ook.

Vanavond is er een disco. Dan kan er van alles gebeuren.

Het is tien uur 's avonds. De disco is een uur bezig. Eerst danste er niemand. Toen danste Alexander met Linda en Sofia met Thomas. Daarna dansten er heel veel en Adam danste met Annika. En toen... danste Adam met Eva.

Plotseling is de disco niet langer gênant of mislukt, zelfs al is het alleen hun klas en is het nog veel te licht en staat de Giraf erbij te kijken. Adam danst met Mia en dan weer met Annika, en dan gaat hij naar Eva toe.

De vloerlamp die Alexander op de dansvloer heeft gericht verlicht Eva van achteren. Ze heeft een gouden glans om zich heen. Adam houdt zijn adem in. Het lijkt wel alsof het... een teken is.

Dan is het voorbij. Opeens is het doodstil. WAT GEBEURT ER?

'DOORGAAN!' roepen ze allemaal in koor.

De gettoblaster van Tobias is gestopt, midden in een dansnummer. Het is net alsof iemand de stop uit het bad heeft gehaald. En die iemand is de Giraf.

'Tijd om naar bed te gaan,' zegt ze. 'Het is half elf!'

Gewoon vrienden

Eva schrikt op. De Giraf zeurt iets over Gustav Wasa en lang-laufen in de krakende microfoon van de bus en speelt het klaar om Eva voor de zoveelste keer wakker te maken.

'Ze heeft de saaiste stem van de hele wereld,' mompelt ze tegen Annika.

'Stil, ik slaap,' zegt Annika.

'Het wordt er ook niet beter op met die afgrijselijke microfoon!

'Ik luister naar mijn MP3 speler,' zegt Annika. 'Als je gewoon je mond houdt, kan ik slapen bij Britney Spears.'

'Britney Spears is rotzooi,' zegt Eva.

De Giraf had waarschijnlijk nog veel meer gezeurd als ze wist wat er afgelopen nacht was gebeurd. Ze is echt een vreselijk mens.

Achter haar snurkt Alexander zo hard dat het lijkt of hij een boom aan het omzagen is. Dat krijgt hij straks te horen, daar zorgt Eva wel voor. Stel je voor dat de Giraf niets heeft gemerkt!

Het begon ermee dat de meisjes knopen in het beddengoed van de jongens hadden gelegd. Toen de meisjes daarna lagen te slapen, renden de jongens naar binnen en maakten ze wakker door keihard in hun oren te schreeuwen. En toen de jongens weer lagen te slapen namen Eva en de anderen natuurlijk wraak door de dekbedden van de jongens af te pakken. Eva heeft Adams dekbed afgepakt.

Daarna gooiden de jongens water in de bedden van de meisjes. Dat ging eigenlijk een beetje te ver. Dus toen gingen de meisjes natuurlijk net zo ver toen de jongens weer sliepen. Het had toch geen zin om in een nat bed te slapen.

'Wakker worden, Eva,' fluistert Annika. 'We moeten eruit. Ik geloof dat we naar een runesteen gaan kijken.'

Dan is het haar toch gelukt om nog wat te slapen. Mooi, dat heeft ze nodig. Ze moet het de laatste nacht ook nog volhouden…

Na het avondeten zitten Eva en Annika op de grond te kijken naar de jongens, die aan het tafeltennissen zijn. Ze hebben geen zin om mee te doen.

'Ik heb Alexander altijd leuk gevonden,' fluistert Annika.

'Ja, misschien een beetje te lang,' fluistert Eva.

'… maar dat Adam zo leuk is wist ik helemaal niet! En hij ook grappig! En knap…'

Eva zeg niets.

'Ben je echt niet verliefd op hem?'

'Hou op,' sist Eva. Ik heb toch GEZEGD dat we alleen vrienden zijn! Zeur niet zo!'

Het is echt heel leuk om met een jongen bevriend te zijn. Maar waarom moet hij ook zo goed bevriend zijn met Annika …?

Die nacht wordt er drie keer op het raam getikt. Eva sluipt

meteen uit bed en zwaait achter het raam. Ze wijst naar Annika, die ook wakker is. Ze maken Mia en Helena niet wakker. Twee minuten later staan ze buiten in de heldere, koude lucht. Het was Eva's idee.

'Iedereen slaapt,' fluistert Alexander. 'Wij zijn de enigen die wakker zijn!'

Zijn gezicht glanst in het maanlicht. Dit is iets om maandag op school over te praten. Over welke vier het langst wakker zijn gebleven.

'Jonas sliep al om een uur,' gaat hij verder. 'Terwijl hij aldoor zei dat hij vannacht ook wakker zou blijven.'

'Dat is typisch Jonas,' zegt Annika.

'Komt Linda niet?' vraagt Alexander.

Annika kijk naar Eva.

'Nee,' zegt Eva.

Ze zegt niet dat ze het haar helemaal niet heeft gevraagd. Dat wilde Alexander wel, maar Eva niet. En vooral Annika niet.

'Ik heb het koud,' zegt Adam.

Als ze naar het meer lopen, praat hij met Annika. Maar zijn ogen zoeken steeds weer die van Eva en dat ziet ze.

'Ik weet niet of ik het echt ga doen,' zegt Adam.

'Ik ook niet,' zegt Alexander.

'Het is al oktober,' zegt Annika.

'Jullie moeten,' zegt Eva.

Ze haalt diep adem. En dan doet ze het.

Eva in het maanlicht

Toen Adam klein was, dagdroomde hij vaak. Dan kon hij heel ongemerkt in zijn fantasie wegglijden. Het was net alsof de grens tussen de echte wereld en de wereld die alleen in zijn hoofd zat zo dun was, dat hij niet merkte dat hij eroverheen ging. En om Adam terug te krijgen naar de werkelijkheid was het vaak niet voldoende om tegen hem te praten. Zijn vader en moeder moesten roepen of schreeuwen of hem soms ook door elkaar schudden om contact met hem te krijgen.

Dat gebeurt nu niet vaak meer. Maar soms nog wel.

Adam staat bij het wateroppervlak. Een zuchtje wind blaast bijna direct door hem heen. Het zorgt ervoor dat het verder spiegelgladde wateroppervlak van het kleine meer rimpelt. De bijna volle maan schijnt tussen de bomen door en verlicht Eva.

Haar huid glanst wit in het koude maanlicht. Eva's huid. Ze draagt alleen een badpak. Adam heeft haar nog nooit gezien in alleen een badpak. In het zwembad wel natuurlijk, maar dat is anders. En het is een ander badpak. Misschien is het geel. Maar in het maanlicht heeft het bijna dezelfde kleur als haar huid. Het is net alsof ze niets aan heeft.

'Kom op!' roept Eva. Ze springt in het zwarte water.

Adam en Alexander hebben geen zwembroek. Ze moeten in hun ondergoed zwemmen. Dat voelt een beetje raar.

'Kom nou!'

Nu springt Annika er ook in. Alleen badpak en huid. Adams blik blijft weer hangen. Maar Annika glanst niet zoals Eva.

'Lafaards!' roept Eva.

Nu moeten Adam en Alexander wel. Ze trekken hun broek uit. Waarom hebben ze geen zwembroek meegenomen? Voor alle zekerheid. Zelfs al dacht niemand dat je zo laat in het jaar nog zou willen zwemmen. Adam voelt de blikken van Eva en Annika, wat zouden ze denken van hun lelijke onderbroeken?

Het is koud in het water. Ongelooflijk koud. Annika schreeuwt de hele tijd en is er al heel snel weer uit. Alexander schreeuwt ook. Maar Adam niet. En hij blijft in het water, vlakbij Eva, heel, heel dichtbij...

'ADAM, WEET JIJ DAAR HET ANTWOORD OP?'

Adam kijkt nog steeds naar Eva. Het is nog steeds de laatste nacht van de schoolreis. Twee Poolse woorden klinken nog steeds in zijn hoofd. Kocham cię. KOCHAM CIĘ!

'ZIT JE SOMS TE SLAPEN, ADAM?!'

Adam schrikt op. Zijn ogen laten het raam los, waardoor hij al vanaf het begin van de les naar buiten staart, en hij kijkt naar de Giraf. Ze ziet er boos uit.

'Hoi,' zegt Adam.

Hij hoort gegiechel en de Giraf kijkt hem boos aan. Dan vraagt ze het aan Alexander, die het ook niet weet.

Adam moet toegeven dat het waarschijnlijk gelukt is.

Alexanders idee was best slim. Het lijkt er in elk geval op dat Annika hem leuk vindt.

Maar zegt ze dat tegen Eva?

'Natuurlijk doet ze dat,' zegt Alexander. 'Dat is typisch iets wat meiden elkaar vertellen als ze hartsvriendinnen zijn!'

Adam vraagt niet hoe Alexander dat zo zeker weet. Maar hij vraagt het zich af.

'Nu kun je niet langer meer wachten. Je moet vragen of ze verkering met je wil!'

Tienduizend vlinders beginnen tegelijkertijd in zijn buik te fladderen en veroorzaken daar een grote chaos. Hij kan er niets aan doen.

'Ik doe het voor je! Nu meteen!'

'Wacht!' zegt Adam. 'Niet vandaag!'

'Oké,' zegt Alexander. 'Dan doe ik het morgen!'

Morgen voelt ook te vroeg. Veel te vroeg. Misschien overmorgen. Of de dag daarna…?

Maar Adam krijgt geen protest over zijn lippen. De vlinders hebben zijn tong verlamd.

Twee grote geheimen

Eva en Adam zijn vrienden. Vrienden. Alleen vrienden.
VRIENDEN VRIENDEN VRIEEEEEEENDEN!
Zo is het.
Zo was het in elk geval.
Maar nu...
Hoe kun je dat weten?

Eva belt Annika.
'Ik moet met je praten! Mag ik naar je toe komen?'
'Ik moet ook met jou praten. Mijn vader en moeder zijn
niet thuis. Zoals gewoonlijk. Ik zet thee.'
Als Eva onderweg is, voelt ze zich bij elke stap lichter wor-
den. Plotseling weet ze het eindelijk.

Eva neemt een grote slok thee. Het smaakt net zo vies als
altijd.
'Ik weet het,' zegt Annika. 'Ik snap niet hoe het altijd kan
mislukken!'
'Je gebruikt te veel theeblaadjes.'
'Ik weet het.'
'Ik heb een geheim.'
'Is dat zo?' vraagt Annika. 'Ik ook!'
Eva giechelt.

'Vertel!'

Annika giechelt.

'Nee, jij eerst!'

'Nee, jij!'

Annika neemt een grote slok en trekt een vies gezicht.

'Ik wil dat je verkering voor me vraagt...'

'Goed zo! Eindelijk!' zegt Eva.

'... aan Adam.'

Eva verslikt zich en hoest.

'Aan Adam?'

Ze hoest weer.

'Ja.'

'Niet aan Alexander?'

Annika schudt haar hoofd. Ze straalt.

'Het heeft geen nut om het aan Alexander te vragen. Ik weet dat hij nog steeds verliefd is op Linda. Ik wil niet dat hij nee zegt!'

Eva zeg niets. Ze zegt al een hele tijd tegen Annika dat ze eindelijk verkering aan Alexander moet vragen of dat ze aan een andere jongen moet gaan denken.

'En Adam deed zo gaaf tegen me tijdens de schoolreis. Hij IS gaaf!'

'Ben je verliefd op hem?'

Eva vindt het moeilijk om dat te vragen.

'Ik weet het niet. Een beetje misschien. Hij is elk geval leuk!'

Ze giechelt. Eva's hart bevriest.

'En als Alexander boos wordt omdat ik het aan Adam heb gevraagd is dat alleen maar goed! Dat betekent dat het hem iets kan schelen!'

'MOET IK HET AAN ADAM VRAGEN TERWIJL JE NIET EENS ECHT VERLIEFD OP HEM BENT??!'
Eva voelt de tranen opkomen. Annika kijkt geschrokken.
'Dat... ik... dacht dat het leuk kon zijn... om te vragen...'
'Natuurlijk. Ik vraag het. Tot ziens.'
Dan gaat ze weg. Ze smijt de deur dicht. Annika roept iets, maar Eva wil niet luisteren. Ze wil Annika's stem nooit meer horen. Ze luistert niet meer. Ze sluit alles buiten.

Het einde - of het begin?

Toen Adam klein was, huilde hij vaak. De oudere jongens noemden hem altijd een huilebalk. Tegenwoordig huilt hij bijna nooit. Dat mag niet. Jongens mogen niet huilen.
Maar nu huilt hij bijna. Plotseling zit zijn hoofd vol tranen die uit zijn ogen naar buiten willen. Hij is niet eens verdrietig. Misschien is hij blij. Of gespannen en vol verwachting.

Toen Eva klein was, was ze veel vaker boos dan verdrietig. Ze was altijd heel snel boos en ook heel snel weer vrolijk. Maar nu is ze boos én verdrietig. Ze wrijft met haar handen over haar ogen om de irritante tranen die steeds langs haar wangen rollen weg te vegen.
Ze hoort Annika weer roepen, heel ver weg. Of is het alleen verbeelding? Ze gaat nog harder lopen, ze rent bijna.
Ze mag er niet verdrietig uitzien als hij de deur opendoet. Dat mag niet!

Vandaag gaat Alexander het vragen. Zou hij vanmiddag al met Eva naar huis gaan? Of haar vanavond bellen? Wat moet hij zeggen? EN WAT ZEGT ZIJ DAN?!
Linkervoet, rechterknie, rechtervoet, 12, 13, 14... Adam laat de bal weer vallen. Hij kan zich vandaag niet concentreren.

Anders is hij goed in de bal hooghouden, zijn record staat op 112. Bijna net zo goed als Maradona voordat hij drugs ging gebruiken. Zou Eva van voetbal houden?

In zijn ooghoek ziet hij iemand aankomen met een heel bekende paardenstaart.

Hij staat voor de flat. Mooi. Dan hoeft ze in elk geval geen trappen te lopen.

'Wat is er, Eva?' vraagt Adam. 'Is er iets aan de hand?'

Hij ziet het dus. Ze probeert te lachen.

'Nee. Ik... wilde alleen verkering aan je vragen...'

Ze ziet dat hij begint te stralen en kijkt daarom snel naar de grond.

'Aan mij?'

'... voor Annika.'

Hij zegt niets. Zijn mond is een smalle streep. Zij zegt ook niets. Op dit moment is het kleine grasveld voor Adams flat de stilste plek van het hele universum.

Bonk. Er klinkt een geluid. Adam heeft de bal op de grond laten vallen.

'Voor Annika?' vraagt hij.

'ALS JE MAAR NIET DENKT DAT ZE VERLIEFD OP JE IS.'

En dan loopt Eva weg.

Soms is het moeilijk om iets te begrijpen. Adam probeert het, maar het lukt niet. Als Eva net om de hoek verdwenen is, komt Annika aanrennen.

'Was Eva hier net?'

'Ja, maar...'

'Het is allemaal zo gek. Wil je verkering met haar?'
Op het grasveld is het weer doodstil.
'Met Eva?' krijgt Adam er met moeite uit. Maar…'
'Eva is verliefd op je,' zegt Annika. 'Hartstikke verliefd! En jij
bent toch ook verliefd op haar?'
Nu doet Adam zijn best niet meer om het te begrijpen.
'Ja,' zegt hij. 'Ja, ik ben verliefd op Eva.'

Eva hoort Annika in de bosjes. Dan hoort ze haar naar
boven klimmen. Eva zit op de vuist van de reus en ze draait
zich niet om voordat Annika boven is. Dan gaat ze staan en
loopt langs Annika om naar beneden te gaan.
'WACHT!' roept Annika.
Eva wacht. Ze weet niets beters om te doen.
'Ik heb met Adam gepraat,' zegt Annika. 'Hij wil verkering
met je!'
Eva kijkt naar Annika. Annika, die haar allerbeste vriendin is
en altijd zal blijven.
'Wil hij dat?' fluistert ze.

Adam zit thuis bij Alexander. Hij heeft dropveters, chips en
een enorme fles Coca-Cola gekocht. Vanavond trakteert
Adam.
'Dus nu hebben jullie verkering?' vraagt Alexander. 'Dat is
hartstikke gaaf!'
'Ja,' zegt Adam. 'Dat is echt gaaf.'
Ze proosten met de mooiste champagneglazen van
Alexanders ouders. Alexander heeft het niet gevraagd, hij
heeft ze gewoon gepakt toen Adam het nieuws vertelde.

'Zeg, Alexander…'
'Ja?'
Adam neemt een hap dropveter. Alexander wacht. Adam neemt een slok uit het mooie glas. Alexander wacht nog steeds. En dan, uiteindelijk, moet Adam het wel vragen.
'Wat DOE je eigenlijk als je verkering hebt?'